Helga Schubert

Vom Aufstehen

GW00536420

80 Jahre Leben in 29 Erzählungen. Helga Schubert ist ein Kriegskind, ein Flüchtlingskind, ein Kind der deutschen Teilung. Sie erzählt von unbeschwerten Sommern bei der Großmutter in Vorpommern, von der Leerstelle, die ihr im Krieg gefallener Vater hinterlässt, von der eigensinnigen Mutter, den Absurditäten des DDR-Alltags und von den schönen und den schwierigen Freiheiten in einem vereinten Land.

In diesem Ezählungsband zeichnet Helga Schubert ein deutsches Jahrhundertleben. Klar und voller Wärme entwirft sie das Porträt einer Frau als Schriftstellerin, Bürgerin, Freundin, als Mutter und Tochter, als Liebende.

*Helga Schubert*, geboren 1940 in Berlin, studierte an der Humboldt-Universität Psychologie. Sie arbeitete als Psychotherapeutin und freie Schriftstellerin in der DDR und bereitete als Pressesprecherin des Zentralen Runden Tisches die ersten freien Wahlen mit vor. Nach zahlreichen Buchveröffentlichungen und Auszeichnungen zog sie sich aus der literarischen Öffentlichkeit zurück, bis sie 2020 mit der Geschichte ›Vom Aufstehen‹ den Ingeborg-Bachmann-Preis gewann. Der gleichnamige Erzählband erschien 2021 bei dtv, wurde zu einem großen Bestsellererfolg und war für den Preis der Leipziger Buchmesse nominiert.

# Helga Schubert

# Vom Aufstehen

Ein Leben in Geschichten

dtv

Die zitierte Strophe der Ballade
›Und was bekam des Soldaten Weib?‹
auf S. 16 stammt von Bertolt Brecht, zu finden in:
Bertolt Brecht, ›Die Gedichte‹
© Suhrkamp Verlag, Frankfurt am Main 2007.
Das Zitat auf S. 55 stammt aus: Bertolt Brecht, ›Trommeln
in der Nacht‹. Komödie
© Suhrkamp Verlag, Frankfurt am Main 1971.

Von *Helga Schubert* ist bei dtv außerdem lieferbar:
Judasfrauen
Die Welt da drinnen
Lauter Leben

Hintergrundmaterial für Ihren Lesekreis finden Sie unter
www.dtv-lesekreise.de

2022 dtv Verlagsgesellschaft mbH & Co. KG, München
© 2021 dtv Verlagsgesellschaft mbH & Co. KG, München
Umschlaggestaltung: dtv nach einer Vorlage von
Lübbeke Naumann Thoben, Köln unter Verwendung
des Gemäldes »Ruby Red« (2019) von Igor Moritz
Satz: Uhl + Massopust, Aalen
Druck und Bindung: Druckerei C.H.Beck, Nördlingen
Printed in Germany · ISBN 978-3-423-14847-4

# Mein idealer Ort

Mein idealer Ort ist eine Erinnerung:

An das Aufwachen nach dem Mittagsschlaf in der Hängematte im Garten meiner Großmutter und ihres Freundes (mein alter Freund, sagte sie) in der Greifswalder Obstbausiedlung am ersten Tag der Sommerferien.

Immer am ersten Tag der langen wunderbaren Sommerferien.

Neben mich auf einen extra dorthin geschleppten Holztisch hatte dann ihr alter Freund (er war vor und im Zweiten Weltkrieg Chef der Konsumbäckerei, und seine Frau hatte sich vor dem Einmarsch der Roten Armee erhängt) ein großes Stück warmen Streuselkuchen auf einen Porzellanteller gelegt, den er zu meiner Begrüßung gebacken hatte.

Wie immer am ersten Tag meiner Sommerferien.

Meine Großmutter, sie hatte ihren üppigen Körper auch im Sommer in ein Korsett geschnürt, kam aus der Küche mit einer Kanne Muckefuck für ihn und mich. Für sich hatte sie in der Tasse einen Bohnenkaffee aufgebrüht: Meine Medizin, das brauche ich für mein Herz.

Ich durfte in der Hängematte liegen bleiben und von dort mein Stück Kuchen essen und die Tasse Muckefuck trinken. Die Hängematte war zwischen zwei Apfelbäume geknotet, unter mir lagen die Falläpfel, über mir hingen die reifen Kläräpfel, neben mir standen die Büsche mit den roten, weißen und schwarzen Johannisbeeren. Weiter weg die stachligen Stachelbeerbüsche.

Ich lag im Schatten, und es war ganz still. Und es duftete nach dem warmen Kuchen. Dann machte ich die Augen auf. Es war mein Sehnsuchtsort.

Am Vortag war ich allein mit dem Zug aus Berlin gekommen. Gleich nach der Zeugnisausgabe am letzten Schultag musste ich dort nur meine Mutter im Dienst anrufen, ihr meine Zensuren vorlesen, mich für eine eventuelle Zwei entschuldigen, wieso hast du da keine Eins, du brauchst doch nur in die Schule zu gehen und nicht den ganzen Tag zur Arbeit wie ich, dir fällt doch alles so leicht, dann musst du einfach ein wenig fleißiger sein, was hat denn Gaby in dem Fach, siehst du, eine Eins.

Ich musste mich nur von der Telefonzelle aus von meiner Mutter in ihrer Dienststelle verabschieden, bis zum letzten Tag der Sommerferien durfte ich nun bei meiner Großmutter bleiben.

Als ich an diesem letzten Schultag wie jedes Mal seit 1947 in meinem siebten Lebensjahr am Bahnhof Greifswald aus dem Zug stieg mit meinem kleinen Koffer, den ich am Vorabend gepackt hatte, standen sie schon da: Meine Großmutter und ihr alter Freund. Sie presste mich an sich: Meine Lütte. Und er' schnürte meinen Koffer auf seinen Gepäckträger. Dann gingen wir zusammen zur Drogerie am Markt, um mich zu wiegen. Ich wog nicht viel mehr als am letzten Ferientag des vergangenen Jahres. Ich war dünn, groß und knochig, sie wollte mich in den Ferienwochen füttern und dann zum Schluss meiner Mutter, ihrer Schwiegertochter, mit der sie im Übrigen keinen Kontakt hatte, das Ergebnis in zugenommenen Kilos mitteilen wie einen Sieg.

Zu den Bekannten, die wir in der Altstadt trafen, sagte sie: Das ist die Tochter von meinem Gerd. Sie darf die ganzen Ferien bei mir bleiben. Dann schob ihr alter Freund neben uns das Fahrrad bis zum Haus im Apfelweg, bestimmt eine Stunde.

Als wir den Begrüßungskaffee getrunken hatten, räumte meine Großmutter das Geschirr wieder in die Küche. Ich stieg aus meiner Hängematte, in die sie eine Wolldecke gelegt hatte, und half ihr zu tragen. Dann sollte ich die Kläräpfel vorsichtig abnehmen und einzeln nebeneinander in flache Kisten legen, die schwarzen, weißen und roten Johannisbeeren und die blauen und grünen Stachelbeeren in Körbe pflücken. Der alte Freund begann, den Handwagen mit den Obstkisten für den nächsten Tag zu packen. Am frühen Morgen des zweiten Ferientages zog er mit mir den Handwagen eine Stunde bis zum Markt, baute die Kisten auf den bereitstehenden langen Tischen auf, auch die Waage mit den Gewichten, daneben die Papiertüten. Schnell bildete sich eine Schlange, und ich verkaufte alles.

Er konnte sich eine Zigarre anzünden und mit den anderen Verkäufern ein wenig plaudern.

Wenn ich alles verkauft hatte, zogen wir den Handwagen zurück zu meiner Großmutter, die nie auf dem Markt verkaufte: Sie war doch die Witwe des verstorbenen Schulrektors; darum ließ sie sich auch mit Frau Doktor anreden; denn sie hatte ihm ja seine Doktorarbeit ins Reine geschrieben.

Als wir zurückkamen, hatte sie schon das Mittagessen gekocht, goss die Kartoffeln ab, wenn wir das Tor öffneten. Nach dem Essen wusch sie alles gleich ab, ich dagegen musste nicht abtrocknen, sondern durfte mich in die Hängematte legen und lesen, bis ich einschlief und wieder aufwachte:

Am gedeckten Kaffeetisch.

Bis zum Ende des Sommers. So konnte ich alle Kälte überleben. Jeden Tag. Bis heute.

# Vom Leben innen

Im Auto nehme ich mir jetzt öfter vor, nicht zu vergessen, dass ich Gas geben muss, dass ich lenken muss, um nicht vom schmalen asphaltierten Weg zum Hauptdorf in die lehmige Wintersaat zu fahren und dort zu versinken.

Dass von mir tatsächlich etwas abhängt.

Dass ich mir nicht alles nur vorstelle.

Oder mich nur an alles erinnere:

An das Pathos. Meine Mutter hatte dieses erleuchtete Gesicht, wenn sie sang: Wann wir schreiten Seit an Seit. Es gibt ein Foto vom Weltjugendtreffen, auf dem sie im Blauhemd der FDJ in der Verwaltungsakademie *Walter Ulbricht* eingehakt in der ersten Reihe mit lauter fremdländischen Menschen marschiert.

Du hast bestimmt eine Schizophrenie, wir müssen mit dir zu einem Psychiater, sagte meine Mutter zu mir fünfzehnjährigem Mädchen, als ich ihr von meinem Gefühl der Unwirklichkeit erzählte, dass alles schmerzlos wird und sanft.

Ein Schüler aus der Zwölften hatte sich nämlich gerade aus Liebeskummer um seine Freundin mit Blausäure vergiftet. Kurz vorher hatte er mich bei einem Schulball zum Tanz aufgefordert, und ich schwebte noch immer mit ihm und spürte seinen Arm um mich, als er schon tot war. Zu dieser Zeit übte ich manchmal sechs Stunden am Klavier, denn die Musik tröstete mich: Ich spielte immer wieder diese eine Mollpassage aus der Mozartsonate. Ein Jahr lang bezahlte meine Mutter mir den Unterricht bei einer Pianistin, bis diese mich zu einem Vorspiel einlud und danach zu meiner Mutter sagte: Ihre Tochter hat Gefühl für Musik, sie hat in diesem einen Jahr gute Fortschritte gemacht. Da bezahlte meine Mutter den Unterricht nicht mehr.

Ich musste aufhören.

# Die vierte Strophe

Müde bin ich, geh zur Ruh, schließe meine Äuglein zu,
Vater, lass die Augen Dein über meinem Bettchen sein.

Das war das Schönste an meinem Tag als Kind: Ich faltete die Hände, schloss die Augen, meine Mutter saß auf der Bettkante und sang. Drei Strophen. Jeden Abend: Hab ich Unrecht heut getan, sieh es lieber Gott nicht an, Deine Gnad und Christi Blut machen alle Sünden gut.

Hypnotisch, noch heute, fast siebzig Jahre später, wird mir beim Schreiben warm, zuerst im Kopf, dann in den Armen: ein leichtes wohliges Zischen in meinen Ohren. Es ist alles gut. Und es wird alles gut. Als Kind bin ich dann eingeschlafen und wurde nicht mehr wach bis zum Morgen.

Sie hatte hellblonde Haare, die sie mit einer Kurpackung beim Friseur pflegen ließ, auch mit neunundneunzig hat sie sich die Haare immer von anderen waschen lassen, ich habe eine Mutter, die sich noch nie die Haare selbst gewaschen hat. Sie hat immer noch zarte Hände und strenge dunkelblaue Augen, die ich fürchtete. Aber als Kind, abends in meinem Bett, sah ich ihre Augen nicht, denn ich hatte meine ja geschlossen. Ich höre noch heute ihre weiche und helle Stimme. Ich fühlte mich geborgen bei einem unsichtbaren Vater.

Als ich mir gestern den genauen Wortlaut des Liedes im Internet ansah, fand ich kleine Unterschiede gegenüber meiner Erinnerung: Augen statt Äuglein, Bette statt Bettchen, Schaden statt Sünde. Er macht also allen Schaden wieder gut in dem Lied und nicht die Sünden, achtundsechzig Jahre falsch gedacht.

Aber die Entdeckung gestern: Es gibt noch eine vierte Strophe, die sie in all den Jahren nie sang: Kranken Herzen sende Ruh, müde Augen schließe zu, Gott im Himmel halte Wacht, gib uns eine gute Nacht.

In dieser Strophe kommt nach drei Strophen mit »Ich« zum ersten Mal »Uns« vor. Sie hätte sich einbeziehen müssen, sie hätte uns beide als zusammengehörend und uns beide als schutzbedürftig ansehen müssen.

So half sie nur mir.

# Ein junger Vater

Mein Vater, der mit achtundzwanzig Jahren Tag für Tag Feldpostbriefe schrieb, mit Bleistift, an seine Frau, meine Mutter, die sie verlor im Krieg, denn sie musste fliehen mit mir, und an seine Eltern, die sie getreulich aufbewahrten und mir vererbten, 184 nummerierte Briefe, die langsam unleserlich werden und zerfallen.

Mein Vater ist am 5. Dezember 1941 abends um neunzehn Uhr auf einem vereisten toten Arm der Wolga von einer Handgranate zerrissen worden und war sofort tot.

Es ist ein Trauma meines Lebens:

Dieser zerrissene, mir doch unbekannte Mann, ich bin sein einziges Kind, und ich kenne ihn nur aus Erzählungen seiner Mutter (er konnte keiner Fliege etwas zuleide tun) und aus den Erinnerungen seiner Witwe, meiner Mutter (er war ein Familienmensch, er liebte mich, seine einjährige Tochter, und stand ihrer Meinung nach anfangs den Nationalsozialisten nicht kritisch genug gegenüber). Es geschah vor Moskau, damals Kalinin, heute Twer.

Erst einen Monat später, am 9. Januar 1942, erfuhr es seine Frau, meine Mutter:

Sie kniete im Flur ihrer Berliner Wohnung und putzte Stiefel, als der Briefschlitz klapperte und ein Brief mit einer fremden Schrift neben ihr auf den Boden fiel:

Sehr geehrte gnädige Frau! (schrieb der Kompaniechef, ein promovierter Hauptmann, am 7. Dezember 1941), ich bin leider gezwungen, Ihnen noch kurz vor dem Weihnachtsfest eine traurige Mitteilung machen zu müssen. (Absatz.) In den Kämpfen um Kalinin ist am 5. Dezember gegen neunzehn Uhr Ihr Gatte gefallen, in soldatischer Pflichterfüllung getreu seinem Fahneneide. (Am Ende des ausführlichen Briefes steht nicht Heil Hitler, sondern: Mit aufrichtigem Mitgefühl.)

Bertolt Brecht schrieb zur gleichen Zeit 1942 im Exil als letzte Strophe einer Ballade:

*Und was bekam des Soldaten Weib*
*Aus dem weiten Russenland?*
*Aus Russland bekam sie den Witwenschleier*
*Zu der Totenfeier den Witwenschleier*
*Das bekam sie aus Russland*

Mein Vater starb im Alter von achtundzwanzig Jahren, drei Monaten und einem Tag.

Mein Vater war gerade mit der Berufsausbildung fertig, dem Jurastudium, hatte die erste Stelle als Referendar am Kammergericht Berlin, eine Mitstudentin geheiratet, die fünf Monate später meine Mutter wurde und damals auch ihre erste Stelle gefunden hatte, und eine Wohnung in Berlin-Kreuzberg bezogen. Der Sommer war noch nicht vorbei, da kam die Einberufung in Hitlers Armee. In den Zweiten Weltkrieg.

Mein Vater starb am Geburtstag seines eigenen Vaters.

Derselbe Hauptmann, der zwei Tage später im Brief meine Mutter mit Gnädige Frau anredete, um ihr den Tod ihres Mannes mitzuteilen, hatte meinem Vater befohlen, Partisanennester in einer Dünenfalte an der Wolga zu vernichten, wie er es nannte.

Mein Vater hoffte schon eine Weile auf seine Beförderung zum Offizier und sah diesen Auftrag als letzte Mutprobe.

Die russischen Partisanen verteidigten sich mit Handgranaten.

Tagelang konnten seine Kameraden meinen Vater nicht beerdigen, weil sie sich zurückziehen mussten, denn an diesem 5. Dezember 1941 hatte die Gegenoffensive der Roten Armee begonnen, steht im Geschichtsbuch, nachdem sie sich von dem Schrecken des deutschen Überfalls ein halbes Jahr zuvor erholt hatte.

Seine Mutter trug Schwarz, meine ganze Kindheit hindurch, Schwarz aus Trauer. Denn zwei Jahre später starb ihr zweiter Sohn im Krieg, und weitere zwei Jahre später starb ihr Mann, der Vater meines Vaters, an den Folgen einer Namensverwechslung mit einem gesuchten SS-Mann bei der kampflosen Übergabe Greifswalds an die Rote Armee.

Ich habe als Kind zu viele Tränen gesehen.

Am Volkstrauertag saßen wir zu Hause am Radioapparat, später am Fernsehgerät und hörten den Rednern im westdeutschen Bundestag zu, denn den größten Teil meines Lebens, bis zu meinem fünfzigsten Lebensjahr, gab es in dem Land, in dem ich lebte, der DDR, diesen Volkstrauertag nicht. Es war eine Versöhnung im Fernkurs, in Verdun sah ich symbolisches Händereichen über Gräber hinweg.

Wurden wir eigentlich mitversöhnt, wir im Osten, damals Anfang 1990, als Bundeskanzler Kohl und der Generalsekretär der KPdSU, Gorbatschow, über ihre im Zweiten Weltkrieg umgekommenen nahen Verwandten trauerten?

In den Kirchen waren zu DDR-Zeiten auf Tafeln meist nur die Namen der Gefallenen des Ersten Weltkriegs eingraviert.

Erst nach dem Ende der DDR sehe ich mit neuer Goldschrift auch die Namen der toten Soldaten aus dem Zweiten Weltkrieg. Ja, auch in unserem kleinen mecklenburgischen Dorf wird an einer Gedenktafel an der Feldsteinumgrenzung der Kirche ein Kranz niedergelegt.

Es ist immer noch ungewohnt, auch der deutschen Kriegstoten zu gedenken, selbstverständlich ist das nur für die Zugezogenen aus dem Westen.

Erst seit der Einheit Deutschlands gibt es dieses gemeinsame Gedenken in Ost und West. Und nun darf auch so eine wie ich einfach traurig sein, dass sie ihren Vater in einem irrsinnigen Krieg verlor, bevor sie ihn kennenlernen und lieb haben konnte, einen Vater, der sie in den Arm genommen und getröstet, der ihr beigestanden hätte, humorvoll und verzeihend. Wie auf den Fotografien im Album.

Vielleicht in friedlichen Zeiten.

# Verwandte ersten Grades
## im westlichen Ausland

Mein Kind, im dreizehnten Stock eines Hochhauses mitten in Ostberlin aufgewachsen, wollte Förster werden. Für 600 Schulabgänger in zwei Jahren, also für das beginnende Lehrjahr 1977, gab es in Berlin nur zwei Lehrstellen für den Beruf des Forstfacharbeiters/Mechanisators als Voraussetzung für das Studium.

Also fuhren wir in die weitere Umgebung.

Haben Sie Verwandte ersten Grades im Westen? Entschuldigen Sie bitte, dass ich Sie gleich noch im Stehen danach frage, sagte der Direktor des Instituts für Forstpflanzenzucht Waldsieversdorf (es war im Sommer 1975).

Aber falls Sie Verwandte ersten Grades in der BRD (BRD, sagte er) haben, dann brauche ich Ihnen von meiner Sekretärin gar nicht erst einen Kaffee machen zu lassen, dann hat es gar keinen Zweck, dass wir uns weiter unterhalten, dann können wir Ihrem Sohn (mein vierzehnjähriger Sohn stand neben mir, und wir waren bei diesem Institutsdirektor telefonisch angemeldet) in zwei Jahren keine Lehrstelle geben.

Nein, sagte ich:

Ich habe keinen Bruder, keine Schwester, und als mein Vater starb, war ich ein Jahr. Ich habe eine Mutter, die lebt auch in der DDR, ich habe nur ein Kind, das steht hier, der Vater dieses Kindes lebt auch in der DDR, wir sind geschieden, und mein neuer Ehemann lebt auch in der DDR.

Dann ist gut, setzen Sie sich doch bitte, sagte der Direktor erleichtert und ließ mir Kaffee kommen:

Wir stellen hier bei uns etwas sehr Exportintensives her, etwas, wofür unser Staat viele Devisen einnehmen kann: Lärchenpflanzen. Sie gehen in die ganze Welt. Wenn unsere Produktionsmethode dem Westen bekannt würde, dann würden die das selber so machen wie wir und nicht mehr bei uns kaufen. Da unsere Lehrlinge mit dieser Produktionsmethode unmittelbar zu tun haben werden, können wir uns keine Sicherheitslücke leisten.

Und hier, weit außerhalb Berlins, wollten sie es in zwei Jahren zum ersten Mal mit zwei Lehrlingen versuchen, damit nicht immer die jungen Wissenschaftler die Lärchensamen unter den heißen Folienzelten aussäen und die winzigen Keimlinge pikieren mussten.

In Biologie, Chemie und Mathe musst du nach der Zehnten eine Eins haben und in eurer Schule mit eurer Lehrerin einen Biologie-Zirkel gründen, dann hast du bei uns eine Chance, sagte der Institutsdirektor zu meinem Sohn.

Wie gut, dass ich als siebenunddreißigjähriges Einzelkind und als siebenunddreißigjährige Halbwaise so untadelig östlich vor ihm saß. Jedenfalls, was die erfragte Blutsverwandtschaft betraf:

Nur eine Mutter und nur einen Sohn. Beide im Osten. Die Lärchenproduktion und der Staatshaushalt der DDR waren damit ungefährdet.

Mein Sohn kam auf die Warteliste für eine der beiden Lehrstellen in zwei Jahren. Er war der Zehnte.

Woher kam nur die Bedeutung der Blutsverwandten? Blut ist dicker als Wasser, Sippenhaft, stell dich beim Hochzeitsbild bitte weiter hinten hin: Sonst sieht man die Blutlinien nicht.

Das hast du nicht von mir, genau wie deine Großmutter.

Warum sollte ich ausgerechnet Blutsverwandten im Westen, wenn ich sie gehabt hätte, davon erzählen, wie die Zapfenpflücker vorsichtig die Lärchenzapfen in großer Höhe abbrachen, um an die kostbaren Lärchensamen zu gelangen.

# Keine Angst

Ich bin ein Kriegskind, ein Flüchtlingskind, ein Kind der deutschen Teilung.

Auch heute noch, dreißig Jahre nach dem 9. November 1989, sehe ich aus dem Zugabteil die Grenze von damals leibhaftig, auf dem Todesstreifen sind die Sträucher und Bäume noch jünger, erst DANACH angepflanzt.

Am 9. November 1989 war ich fast fünfzig Jahre alt und hatte noch niemals frei gewählt. Wie als Zeugin vor einem Gericht könnte ich über diesen Tag berichten: Was ich sah und hörte und dachte. Davor und auch in der Zeit danach.

Es gibt kein weltliches Gericht mehr dafür:

Bis auf Mord ist alles verjährt.

Kann ich denn vom 9. November literarisch erzählen?

Mit Selbstironie, aus verschiedenen Blickwinkeln, mit einem ersten Satz, der die Pointe unmerklich vorbereitet, denn sie muss überraschend kommen, den Leser verblüffen, heimlich sentimental machen, aber in seine Gegenwart entlassen.

Nichts Eindeutiges, Belehrendes, Aufklärerisches.

Vor allem ohne Pathos.

Und was waren wir pathetisch:

Eine Veranstaltung in der Berlin-Lichtenberger Erlöserkirche Ende Oktober 1989 hieß:

Wider den Schlaf der Vernunft.

Zu einer solchen Veranstaltung würden doch heute nie 6000 Leute kommen.

Sie würden nicht plötzlich von der Marienkirche am Alexanderplatz in Berlin auf die Straße rennen, zwischen die Autos, die Fahrbahn blockieren und »Schließt euch an« rufen. Oder rhythmisch »Die Mauer muss weg« skandieren, Mauer auf einer Silbe, wie »Maur«, oder »Volkskammer untern Hammer« mit andern Erwachsenen montags um siebzehn Uhr nach der Arbeit im Büro. Man würde sie festhalten, mit dem Handy 112 wählen und freundlich in die Notaufnahme der Psychiatrie bringen.

Als Schriftstellerin braucht man etwa fünfzehn Jahre Distanz, ehe man von einem wichtigen Ereignis literarisch erzählen kann, soll Anna Seghers gesagt haben. Doch für *Das siebte Kreuz* hat sie sich nicht daran gehalten, vielleicht, weil sie nichts davon erlebt hat, alles schon gefiltert erzählt bekam von Flüchtlingen aus Deutschland und unmittelbar schrieb, in der Emigration schrieb?

Ihre Distanz zum Tatort war die von Kontinenten.

Die geforderten fünfzehn Jahre seit dem 9. November 1989 wären für mich um.

Aber ist dieser 9. November 1989 überhaupt ein Ereignis, zu dem ich Distanz aufbauen muss? Oder kann? Eine Revolution, die uns alle betraf, nicht nur mich?

Vielleicht ist nur das schwächste Glied in der Kette der Diktatur gerissen?

Die Maueröffnung, die Reiseerleichterung als Ablenkungsversuch?

Es gab ja so viele Freiheiten, die wir nicht hatten.

Ein Untertan in der Diktatur wird doch durch die gewährte Reiseerleichterung eher gelenkt, diszipliniert:

Wenn du uns außerhalb der Grenzen schlechtmachst, wenn du uns beim Klassenfeind verspottest, dann lassen wir dich nicht wieder herein.

Viel gefährlicher wird der Untertan, und er bleibt bald kein Untertan mehr, wenn er unabhängige Zeitungen liest und darüber mit seinen Kollegen spricht, wenn er öffentlich seine Meinung äußert ohne Angst vor Verhaftung, wenn er Parteien gründet oder ihr Mitglied wird, wenn er frei und geheim wählt und gewählt werden kann, wenn er ohne Druckerlaubnis veröffentlicht.

Und am gefährlichsten scheint er den Oberen, wenn er das alles fordert und die anderen womöglich aufwiegelt.

Sie ließen mich beobachten, fanden mich feindlich-negativ, und sie ließen mich trotzdem in den Westen reisen:

Ein unglaubliches Privileg. Ein Privileg, das verdächtig machte, sowohl gegenüber den Mitbürgern, die nicht reisen durften, als auch den Menschen außerhalb der DDR-Grenze.

Wie sollte ich ihnen verständlich machen, dass ich das politische System in der DDR fürchtete und trotzdem zurückfuhr hinter den Minengürtel.

Andere mussten beim Fluchtversuch sterben oder nach ihrem Ausreiseantrag Demütigungen hinnehmen, wir Schriftsteller durften uns Gründe für unsere Anträge auf ein Dienstvisum mit Rückkehrerlaubnis am selben Abend ausdenken:

Ein Kollege wollte sich genau den Ort ansehen, an dem sich Heinrich von Kleist am Wannsee erschoss, ich wollte in der Westberliner Staatsbibliothek, obwohl ich sie vielleicht auch irgendwo im Osten in einer Unibibliothek gefunden hätte, die Akten von Denunziantinnen der NS-Zeit vor den Nachkriegsgerichten lesen.

Bei meinem ersten Mal im Westen ging ich zur Mauer und fasste sie an, den körnigen bemalten Beton, bestieg die Holztreppen wie einen Anstand zur Jagd, am Potsdamer Platz und am Brandenburger Tor, und besah meine Mitbürger von außen, wie Eisbären im Zoo, von außen, von uns aus betrachtet. In Wirklichkeit sah man ja im Westen die Mauer von innen, denn Westberlin war eingemauert, nicht wir, obwohl ich mich im Osten eigentlich seit 1961, seit meinem einundzwanzigsten Lebensjahr, so fühlte.

Ohne Aussicht auf Änderung:

1980: Ziehen Sie Ihren Antrag auf Ausreise zurück: Sie werden der Einladung zum Ingeborg-Bachmann-Preis in Klagenfurt nicht folgen, wollen Sie etwa Reich-Ranicki vortanzen? (In meiner Staatssicherheitsakte ist von diesem Juryvorsitzenden als einem berüchtigten Antikommunisten die Rede.) »Durch den Ingeborg-Bachmann-Wettbewerb soll das derzeitig von feindlichen Kräften betriebene Weiterbestehen einer einheitlichen deutschsprachigen Literatur weiter hochgespielt werden.« Ich zog den Antrag nicht zurück – sie mussten es mir verbieten.

1983: Wenn Sie den Fallada-Preis annehmen, und dann noch ein Jahr nach Erich Loest, für Ihr Buch, das nur im Westen gedruckt wird, verschaffen Sie diesem Buch Aufmerksamkeit und schaden damit dem Ansehen der Kulturpolitik der DDR in den Augen fortschrittlicher Intellektueller im Westen, die dann schlussfolgern könnten, bei uns gebe es eine Zensur, denn warum durfte das Buch nicht in der DDR erscheinen, darum müssen Sie ihn ablehnen, wenn nicht, bekommen Sie das Ausreisevisum und können gleich im Westen bleiben.

Wir haben erfahren, dass Sie übermorgen in Brüssel nicht nur an der Uni lesen wollen, wie Sie es beantragt haben, sondern dort auch im BRD-Goethe-Institut zusammen mit Herta Müller angekündigt sind. Die haben doch einen gesamtdeutschen Alleinvertretungs-Anspruch. Wenn Sie nicht hier am Telefon sagen, dass Sie von dieser Absicht zurücktreten, wird Ihr Ausreisevisum morgen am Flughafen ungültig gestempelt.

Dann erschien Gorbatschow als übermächtige Figur, die nicht mehr übermächtig sein wollte und die Vasallen mit ihren Völkern allein ließ:

In Ungarn schnitten sie ein Loch in den Grenzzaun, aus den bundesdeutschen Botschaften in den Ostnachbarländern durften DDR-Bürger ausreisen.

Aber in Peking erschossen sie Demonstranten, ein Politbüromitglied der SED fuhr hin und gratulierte. Wollte er uns warnen?

1989: In der *Neuen Zürcher Zeitung* ist eine Erzählung von Ihnen erschienen, wo haben Sie das Belegexemplar und das Geld.

Anfang September 1989 folgte ich, ohne um Erlaubnis zu fragen, der Einladung zu einer Fernsehdiskussion im SFB in Westberlin und sagte dort, dass ich im Staat DDR Angst habe und wovor.

Am nächsten Tag in Ostberlin wurde ich von einem Magistratsangestellten auf der Straße und von einem Studenten in der S-Bahn, die das beide gesehen hatten, angesprochen:

Im Seminar und in der Arbeitsstelle hätten sie darüber diskutiert und sich gewundert, dass es nicht nur ihnen allein so geht.

Von Angst zu reden macht Mut, sagte der Student dringlich, der mit mir am S-Bahnhof Marx-Engels-Platz ausstieg, obwohl er noch eine Station weiterfahren musste. Er wollte mir das auf dem Bahnsteig noch sagen:

Wenn so viele Angst haben? Ihm mache das Mut.

Das könne er sich nicht erklären.

Angst müsste sich doch eigentlich potenzieren? Komisch.

Er nahm die Bahn drei Minuten später und fuhr weiter zur Uni.

In derselben Woche lud mich eine Gruppe evangelischer Pastoren ein:

Einer hatte Unter den Linden vor der Universität nachts Panzer fahren sehen.

Sie schienen aus dem Untergrund zu kommen, als ob da quer unterirdische Straßen laufen in Höhe von Friedrich dem Großen, Richtung Staatsoper.

Unheimlich.

Ist Gott für uns, wer mag wider uns sein, ist mein Konfirmationsspruch.

Aber wo waren die Fronten?

Am 14. September 1989 nahm ich an einer Mitgliederversammlung des Berliner Schriftstellerverbandes teil:

»Die Sch. erschien mit einer vorbereiteten Resolution, worin sie aufforderte, sich mit solchen Menschen zu solidarisieren, die an Demonstrationen teilnehmen und dadurch den ›Repressalien‹ (das setzte der Offizier tatsächlich in Anführungszeichen) der Sicherheitsorgane ausgesetzt sind. Freiheit für kritische Gruppen und Demonstrationsrecht sei für diese notwendig. Die Privilegienwirtschaft und das Meinungsmonopol müssten abgeschafft werden.«

Es stand falsch am nächsten Tag als Spitzelbericht auf der Karteikarte des MfS-Offiziers, der mich damals schon seit vierzehn Jahren observieren ließ, sein Spitzel war ein früherer SS-Mann mit dem Decknamen *Adler*: Ich hatte die Resolution spontan formuliert, sie war nicht vorbereitet.

Ich fand keine Unterstützung, wunderte mich auch nicht, denn mehr als die Hälfte der Berliner Schriftsteller waren SED-Mitglieder, die sich vor jeder, auch vor dieser, Versammlung getroffen hatten und dabei Inhalte, Diskussionsredner, Strategie und Taktik festlegten. Keine Überraschungen! Man einigte sich sinngemäß auf die Bitte, die SED-Parteiführung möge sich zu einem Dialog bereitfinden.

Huldvolle Änderungen untertänigst erbeten, dachte ich und sah, wie sich viele Hände hoben.

Der Offizier der Abteilung XX des Ministeriums für Staatssicherheit, der diese Spitzelberichte über mich vierzehn Jahre lang in Auftrag gab und entgegennahm, hat sich übrigens ein paar Jahre später bei den Aufnahmen für einen Dokumentarfilm über Literatur und Staatssicherheit bei mir entschuldigt:

Er spüre Reue und Scham, zumal ihm die Observierung von uns evangelischen Christen geholfen hätte, nach dem 9. November 1989 keine Angst um sein Leben zu haben:

Die tun uns nichts, hätte er zu seinen Genossen gesagt, die Lynchjustiz befürchteten.

Denn die wollen wirklich keine Gewalt:

Die wollen nur eine andere Gesellschaftsordnung.

Ob wir es wohl wagen sollten, fragte mich ein evangelischer Pastor in Stralsund im Oktober 1989, mit unseren Kerzen auf die Straße zu gehen, nur ein paar Meter hinaus, in den öffentlichen Raum? In anderen kleineren Städten wird das auch überlegt. Wir sind ja nicht in Leipzig oder Dresden, wir sind doch hier viel mehr auf uns allein gestellt. Nach dem Friedensgebet übermorgen, am nächsten Montagabend?

Er wagte es.

Und es wagten viele Pfarrer, auch die von Dambeck und Proseken und Alt Meteln und vielen Dörfern um uns herum hier in Mecklenburg.

Alle, die ich gefragt habe, wissen, was sie am 9. November 1989 gemacht haben:

Ich bin noch in der Nacht, oder:

Ich hab es erst am nächsten Morgen gemerkt, oder:

Ich, sagte mir einer aus dem Dorf, bin dann erst im Dezember gefahren, das Begrüßungsgeld holen, waren doch 50, nein, 100 D-Mark, der Junge wollte uns ja noch am Abend mit dem Auto in den Westen mitnehmen, aber was sollte ich da, ich hatte mir ja alles schon im September angesehen:

Da durfte ich doch zum Geburtstag der Schwägerin. Sogar mit meiner Frau zusammen durfte ich da ausreisen.

Durfte, durfte …

Am 9. November 1989, kurz vor neunzehn Uhr, holte mich, wie verabredet, eine junge Ostberliner Pastorin zu dem ökumenischen Gottesdienst in der Sophienkirche in Berlin-Mitte ab:

Wir wollten der brennenden Synagogen 1938 gedenken.

Im Dietz-Geschichtskalender der DDR für 1989 stand davon nichts, stattdessen drei andere Ereignisse:

905–959 Konstantin VII. Porphyrogennetos (der Purpurgeborene). Byzantinischer Kaiser. Verfasser zahlreicher Werke über Staatsverwaltung.

1799 (18. Brumaire des Jahres VIII). Französische Revolution. General Napoleon Bonaparte stürzt durch einen Staatsstreich das Direktorium.

1918 Deutschland. Beginn der Novemberrevolution.

Die Pastorin sagte, dass im DDR-Fernsehen die Übertragung einer Pressekonferenz mit einem Mitglied des Politbüros der SED laufe, ich sollte doch mal anschalten.

(In meiner Kindheit gab es noch die Zeiteinheit Ulb: Das war der Sekundenbruchteil zwischen dem Erkennen eines Ostsenders mit Ulbrichts Stimme bis zum Abschalten. 1989 hieß die Zeiteinheit Schnitz: Benannt nach dem Journalisten Karl-Eduard von Schnitzler und seinem Schwarzen Kanal. Ich sah stattdessen im Westfernsehen die Bundestagsdebatten, lernte, dass man Leute mit einer anderen politischen Meinung anhören und ausreden lassen muss. Dieses Training im Formulieren und Abwägen in einer Welt, in der man nicht lebte.)

Mein Mann, die Pastorin und ich standen nun vor dem Fernseher in unserer Wohnung im dreizehnten Stock der Rathausstraße am Alexanderplatz und sahen diesen Politbüromann kurz vor Schluss seinen Zettel aus der Sakkotasche hervorziehen und vorlesen, dass die DDR-Bürger ohne Vorliegen von Voraussetzungen bei der Volkspolizei unbürokratisch eine Erlaubnis zu Ausreisen erhalten könnten und zwar über alle Grenzübergangsstellen.

Um pünktlich zum Gottesdienst zu kommen, mussten wir losgehen.

Also keine wirkliche Reisefreiheit, dachte ich:

Man muss bitten, um mit der S-Bahn nach Westberlin fahren zu dürfen.

Fünf Tage vorher hatten wir dort unten am Alexanderplatz mit 800 000 anderen Informations- und Pressefreiheit gefordert.

Wir gingen zu Fuß zur Kirche, am Neptunbrunnen vor dem Roten Rathaus vorbei, an der Marienkirche, die Spandauer Straße entlang, am Bahnhof Marx-Engels-Platz vorbei. Kaum Menschen auf der Straße. Vorbei an der Gedenktafel für die Abtransporte der jüdischen Mitbürger in die Vernichtungslager im Zweiten Weltkrieg.

Nach dem Gottesdienst versammelten wir uns am Grabstein von Moses Mendelssohn, legten einen Stein darauf und verabredeten uns zum nächsten Treffen.

Kein Wort von der Pressekonferenz.

Zu Hause hatte mein Mann inzwischen eine Diskussion mit Momper, dem Regierenden Bürgermeister von Westberlin, gesehen:

Man plante, die Ausgabestellen für das Begrüßungsgeld am nächsten Tag länger zu öffnen, falls schon die ersten Ostberliner nach Westberlin dürften.

Momper habe plötzlich einen Zettel zugeschoben bekommen, ihn gelesen und mit den Worten »Mein Platz ist jetzt woanders« das Fernsehstudio verlassen.

Daraufhin habe sich der Sender Freies Berlin entschlossen, von den Grenzübergangsstellen direkt zu übertragen:

Tausende liefen an den verblüfften Grenzern vorbei, manche hielten ihren Personalausweis hoch.

Der Kaiser war nackt – mein Lieblingsmärchen wurde wahr nach achtundzwanzig Jahren, zwei Monaten und siebenundzwanzig Tagen.

Wir umarmten uns und weinten vor Erleichterung, wie schon bei diesem Aufschrei in der Prager Botschaft nach Genschers Worten.

Jetzt zum Brandenburger Tor, obwohl wir wussten, dass dort kein Grenzübergang war, der geöffnet werden könnte.

»Mister Gorbatschow, open this gate.«

Wir gingen mit vielen anderen Menschen, die wohl auch alle aus dem Bett aufgestanden waren, die Straße Unter den Linden auf das Brandenburger Tor zu. Der Pariser Platz war abgesperrt und menschenleer, bis auf wenige bewaffnete Grenzer.

Wir blieben stehen:

Auf der Mauer, von uns aus gesehen hinter dem Brandenburger Tor, tanzten Westler mit Sektflaschen, obwohl die Ost-Grenzer sie mit Megafon aufforderten, die Grenzsicherungsanlagen zu räumen und mit Wasserwerfern drohten, zwei sprangen in den Osten hinunter, einer davon mit seinem Fahrrad. Sie gingen an den Soldaten vorbei und riefen uns zu: Klettert doch einfach rüber.

Dann verschwanden sie in Richtung Osten.

*Die Nacht hat zwölf Stunden, dann kommt schon der Tag*, hörte ich 1961 nach dem Mauerbau immer von der Schallplatte beim Plätten.

Mein Mann und ich stiegen über die nur hüfthohe Abgrenzung, von hinten wurde ich festgehalten, eine Fotografin mit beschwörender Stimme:

Helga, macht das nicht, ihr müsst Vorbild sein, sieh doch mal die vielen jungen Menschen. Wenn sich die Grenzer provoziert fühlen, werden sie schießen, geht bloß nicht weiter.

Mein Mann aber ging auf einen einzeln dastehenden Volkspolizei-Offizier zu und fragte, wie er das alles finde.

Der antwortete: Ick finde det wunderbar, die haben uns doch jenauso beschissen wie Sie.

Die Grenzertruppe mit ihrem Offizier stand wie in einem Spalier, im rechten Winkel zur Grenze, und sah uns nicht an.

Ich ging auf sie zu und sagte: Guten Abend, so wie der tot geglaubte König in Andersens Märchen von der Nachtigall Guten Morgen zu seinen Höflingen sagte, fällt mir jetzt auf.

Die Menschen hinter der Absperrung befürchten, dass Sie schießen, aber die anderen Grenzübergangsstellen sind geöffnet, ich habe es selbst im Fernsehen gesehen.

Alles illegal, murmelte der Offizier. (Vielleicht hatte er Todesangst.)

Ein Soldat, der doch eigentlich gar nicht reden durfte in Gegenwart seines Vorgesetzten, sagte leise:

Aber junge Frau, wir schießen doch nicht, wir haben doch unsere Gewehre auf dem Rücken.

Ein halbes Jahr zuvor noch hatten solche wie diese an der Berliner Mauer Chris Gueffroy getötet, der mit seinem Freund fliehen wollte. (Vielleicht hofften sie jetzt, von einem Fluch erlöst zu werden?) Wir nahmen uns an die Hand und gingen durch die Säulen des Brandenburger Tors, dazwischen Beton-Blumenkübel als Hindernis.

Ich drehte mich um:

Oben an der Säule war ein Schild angebracht:

Platz vor dem Brandenburger Tor.

Für mich war es achtundzwanzig Jahre lang der Platz hinter dem Brandenburger Tor.

Wir gingen weiter auf die grell beleuchtete, weiß gestrichene Mauer zu.

Taghell war es jetzt um Mitternacht.

Da sah ich beim Näherkommen ein winziges Graffito, nur so groß wie eine Postkarte, mit Kugelschreiber auf die drei Meter dicke Panzersperrmauer geschrieben:

Die Mauer ist weg.

Die Mauer ist weg, stand auf der Sperrmauer.

So etwas kann man sich einfach nicht ausdenken.

# So fallen die Schatten hinter dich

Manchmal, wenn ich ratlos war oder auch traurig, in mich gekehrt oder mutlos, las oder hörte ich plötzlich einen Satz, eine Gedichtzeile, einen Liedanfang, und ich spürte: Hier ist er ja wieder, der Strom von Einverstandensein, der doch immer da war und immer da ist und immer da sein wird, der mich mit Menschen verbindet, die schon seit Tausenden Jahren tot sind oder weit weg wohnen und andere Sprachen sprechen. Vielleicht hatte ich gerade auf einen solchen Satz gewartet. Dann schrieb ich ihn auf, als Beweis, als Unterstützung, als Hoffnung: Ein anderer ist auch meiner Meinung. Mitunter notierte ich den Satz an einen Zeitungsrand, riss ihn ab, bewahrte ihn in der Manteltasche oder übertrug ihn zu Hause auf die Innenseite meines Taschenkalenders. »Das Wenige, was du tun kannst, ist viel«, war zum Beispiel solch ein Satz zwischen meinem 28. und 35. Lebensjahr. Ich hatte ihn in der Marienkirche am Berliner Alexanderplatz gelesen, neben der Kollekte *Brot für die Welt*. Er stammte von Albert Schweitzer, war sicher ganz anders gemeint; aber er tröstete mich, wenn ich trotz weniger Stunden Schlaf mein Leben einfach nicht mustergültig schaffte: Tägliche volle Berufsarbeit, anfangs ja auch noch am Sonnabend, Hausarbeit mit Ofenheizung und ohne Waschmaschine, Verantwortung für einen heranwachsenden Sohn, das eigene Erwachsenwerden, Bücherlesen, Geschichten schreiben, der Versuch, sie zu veröffentlichen im kontrollierten Land, und die Liebe, manchmal mit großem Kummer. Das wenige, was ich heute getan habe, ist vielleicht doch mehr als gar nichts, dachte ich dann. Es war ein Satz über die Zukunft:

»Und ganz gewiss an jedem neuen Tag.«

Als ich in den folgenden Lebensjahren die DDR als immer absurder empfand, halfen mir Sätze, die alles relativierten:

Marie von Ebner-Eschenbach schrieb zum Beispiel: »Nicht was wir erleben, sondern wie wir erleben, was wir erleben, macht unser Schicksal aus.« Das hatte mir sogar jemand in mein Poesiealbum geschrieben, als ich zehn Jahre alt war, 1950, da gab es die DDR schon ein Jahr. Aber erst fünfundzwanzig Jahre später, versuchte ich mich mit aller Macht an den Gedanken zu gewöhnen, dass dies Leben in einem eingemauerten Land wirklich mein Leben ist, also kein Probeleben für ein normales späteres, ich hatte nur diesen einen Versuch. Nicht was, sondern wie. Folgerichtig verhielt ich mich, als ob dies Leben mein wirkliches Leben war, verausgabte mich, brannte als Kerze an beiden Enden. Als ich mit siebenundvierzig Jahren, 1987, zum ersten Mal nach Amerika fliegen durfte, ja, durfte, an eine Universität, weil die DDR aus taktischen Gründen mit ihren Schriftstellerinnen im westlichsten Land des westlichen Auslands Punkte machen wollte, ich von Chicago in südlicher Richtung bis in die Rauchenden Berge von Tennessee fuhr, zehn Stunden lang, ohne Unterbrechung, in gemächlichem Tempo, nebenan auf der Autobahn gepflegte Greisinnen am Steuer ihrer Wohnwagen Richtung Florida, als ich den Trichter des fernen Tornados in der Luft sah, später in New Mexico das Kloster der Karmeliter in den Bergen besuchte, dann aber den leichtfüßigen Studenten nicht mehr weiter in die Höhe folgen konnte, dachte ich verzweifelt: Meine Kraft lässt jetzt schon nach, ich will und ich werde nicht mehr lange leben, die ganze wunderbare Welt ist ja da, aber sie ist unerreichbar, was hier ist, ist nicht überall. Das alles hatte ich nie gesehen, nie gerochen, wie fast alle meine Mitmillionen, mein Mann und mein Sohn und alle, die ich lieb habe, kannte ich die übrige Welt nur aus Reisebüchern.

Wieder zurück im Zwergenland, wollte ich von den klugen Relativierungssätzen nichts mehr wissen. Ich übertrug sie nicht mehr in den nächsten Kalender: Ich habe weder die Reife noch die Bescheidenheit, dachte ich, um die Schöpfung nur in diesem engen Umkreis zu bewundern, ich will mir mein Maß nicht vorschreiben und meine Sehnsucht nicht nehmen lassen.

Der neue Satz fiel mir im Jahre 1988 in einem Papierwarengeschäft auf, außen, nicht innen, gedruckt auf einer Klappkarte, vier mal acht Zentimeter groß, ich habe sie eben nachgemessen. Sie lag neben der Kasse auf einem

Stapel mit denselben Karten. Auf der Rückseite standen die Druckgenehmigungsnummer und der Preis: 2807 dJ21/86 111/19/11 DDR 0,15 M. Ich bezahlte eine DDR-Mark und fünfzig DDR-Pfennige für die zehn Klappkarten, von denen ich acht verschenkte, eine in die Brieftasche statt Foto steckte und eine auf meinem Schreibtisch aufstellte. Dort stand sie sechs Jahre lang, von meinem 48. bis zu meinem 54. Lebensjahr hat sie mich begleitet:

»Wende dein Gesicht der Sonne zu, so fallen die Schatten hinter dich«, Afrikanisches Sprichwort.

1988 konnte mich dieser Satz auf eine fast unheimliche Weise beruhigen (ich hatte gerade ein Buch über Denunziantinnen der Nazizeit beendet, die erst zufrieden waren, als ihre Opfer zum Tode verurteilt waren). Ich hatte mich so ausschließlich von der DDR-Gegenwart abgewandt, dass ich nicht einmal mehr den Vögeln im Garten zuhörte, ich bemerkte nicht, wie die Bäume und wie meine Enkel wuchsen. Ich vergaß Menschen nach kurzer Zeit, erstaunte mich über ihre Herzlichkeit bei einer Begegnung.

Und dann endlich – endlich in der Betäubung geschah das Wunderbare:

Ich wurde Zeugin der Zerstörung von Sodom und Gomorrha und war doch gerettet mit allen andern. Eine Weile brauchte ich mein Kärtchen noch, weil ich mich vor dem Hass der enttarnten Rumpelstilzchen schützen wollte.

»Bring dich in Sicherheit, es geht um dein Leben. Sieh dich nicht um und bleib in der ganzen Gegend nicht stehen«, sagt der Herr zu Lot, Lots Frau und Lots beiden

Töchtern. Warum eigentlich sollten sie nicht zurücksehen in das brennende Sodom und das brennende Gomorrha? Sie waren doch gerettet? Warum haben sich Lot und seine Töchter an das Verbot gehalten und seine Frau nicht?

Als Lots Frau zurückblickte, wurde sie zur Salzsäule.

Hat sie so Furchtbares gesehen und konnte das nicht aushalten – oder war es die Strafe des Herrn für ihren Ungehorsam?

Ganz unmerklich, schon eine ganze Weile gehorche ich dem Spruch nicht mehr: Langsam komme ich in die Gegenwart zurück, bin anwesend. In allen Zügen sitze ich mit dem Rücken zur Fahrtrichtung und sehe in die entschwindende undeutlicher werdende Landschaft, sie trennt sich von mir und bleibt doch da, bei jeder Fahrt erkenne ich sie erst, wenn sie schon vorüber ist. In der Fahrtrichtung sitzend, bin ich der Zukunft ohnmächtig ausgeliefert, kann ihr nicht entweichen, müsste die Augen schließen oder wegsehen, mich unterhalten, lesen, die Sonne mit all ihren Schatten stürzt durch die Scheibe, in mich hinein, ist in mir gefangen.

Ich sehe in die Vergangenheit, wende mein Gesicht in die Schatten und spüre die Wärme der Sonne in meinem Rücken.

»Das macht, es hat die Nachtigall die ganze Nacht gesungen.«

# Das Märchen
## und die Erwachsene in mir

Als Erwachsene weiß ich eigentlich, dass ich alles allein machen muss:

Alles selbst einrühren, alles selbst durchstehen, alles selbst ausbaden.

Ich muss die Suppe auslöffeln, die ich mir vorher eingebrockt habe.

Als Erwachsene weiß ich, dass ich Konkurrenten und Neider habe, die hinter meinem Rücken ihre Fallstricke legen, ihr Giftsüpplein kochen, mir die Worte im Mund herumdrehen.

Ich weiß, dass sie wirksam und unerkannt bleiben können, von mir und überhaupt unbestraft. Je unübersichtlicher die Lage, je einflussreicher der Widersacher, umso aussichtsloser meine Rachegedanken.

Aber es war einmal und gibt es noch und ist noch nicht gestorben: das Märchen.

Da ist alles umgekehrt.

Das Märchen nahm und nimmt es auf mit der Erwachsenen in mir, der kleinmütigen, der, die Nutzen und Risiko abwägt, der misstrauischen, der, die man einschüchtern kann. Denn das Märchen stärkt das Kind in mir.

Das Märchen sagt: Erinnere dich doch an des Kaisers neue Kleider, der hatte wirklich keine an, und nur ein einziger Mensch, ein Kind übrigens, sagt das Märchen ermunternd zu der Erwachsenen in mir, hat einfach gesagt:

Er hat ja gar nichts an.

Willst du wirklich, fragt das Märchen und zündet sich in meinem Zimmer ein Räucherkerzlein an, das mit dem Ambrosiaduft, des Kaisers kostbare Gewänder loben?

Das Märchen sagt nicht: Schäm dich!

Das Märchen sagt: Machs doch einfach, probier es aus, du schaffst es, es ist ganz normal, das Leichteste der Welt:

Sag, dass der Kaiser nackt ist.

Erinnere dich: Das Kind hat zuerst das Volk ermutigt, dann den Kaiser selbst. Nur die Höflinge blieben bis zuletzt bei der Lüge, sagt das Märchen und trinkt Tee, den mit dem Mandelduft.

Für den Beruf hast du recht, sagt die Erwachsene, aber in der Liebe?

Erinnere dich an die Prinzessin mit dem gesprungenen Glasherzen, antwortet das Märchen. Sie muss so vorsichtig sein mit der Wahl ihres Mannes. Denn wie leicht kann ihr Herz ganz zerbrechen. Und sie findet für sich den Richtigen: den mit den Samthandschuhen.

Wenn sie nicht gestorben sind, dann leben sie noch heute, sagt das Märchen.

Aber der Satz davor muss auch sein, sagt die Erwachsene in mir:

Sie wurden glücklich miteinander bis an ihr hohes Alter.

Dieser Satz ist noch wichtiger. Und wehe, er fehlt.

Bei Kunstmärchen kann das nämlich passieren: Da hatte der Dichter die Poesie im Auge und nicht den Trost. Wie habe ich als Kind bei solchen Märchen geweint: Der Kaiser will unbedingt diese künstliche, metallene Nachtigall und vernachlässigt die wirkliche, die ihn lieb hat.

Nur die wirkliche kann ihn doch retten.

Wenn du willst, dass die Dinge ihre Ordnung haben, musst du, sagt das Märchen, tritt die Ambrosiakerze aus, kippt den Tee aus dem Fenster und verwandelt sich in einen ekligen Zwerg mit Lederhaut, fünf Augen, glühenden Stahlhaaren und einem Gestank Ich-Sage-Euch, Volksmärchen lesen:

Denn bei Armut und Hunger geht es nicht um erwachsen oder nicht erwachsen, da geht es um das Brot von morgen früh, da wird der Bauch aufgeschlitzt und der Kopf abgehackt.

So, wie es eben in Wirklichkeit ist, sagt die Erwachsene.

Aber das Kind in mir weiß:

Hauptsache, es geht gut aus.

# Meine Ostergeschichte

In allen anderen Vorgärten hängen schon Wochen vor Ostern die ausgeblasenen und dann bemalten Hühnereier oder die Plastikeier im Wind, in den Regalen reihen sich die Osterhasen.

Nur ich will den Osterbaum erst am Ostersonnabend schmücken.

Denn: Seit meinem sechsten Lebensjahr bin ich in der Woche vor Ostern beklommen. Ich muss in der Karwoche täglich daran denken, was Er an diesem Tag gerade macht: Am Palmsonntag auf einem Esel der bejubelte Einzug in Seine Stadt, beim letzten Abendmahl, am Ölberg, wie Er verraten und verhaftet wird, wie Er als angeklagter Aufrührer vor Pilatus steht, der Ihn sogar begnadigen würde, denn ihm ist gar nicht wohl bei dem Todesurteil, wie Er Sein Kreuz den Berg hinaufträgt, wie links und rechts von Ihm Mörder hängen, wie der Himmel aufreißt, als Er stirbt. So geht das bis Karfreitag.

Nun bin ich eine alte Frau, dreiundsiebzig Jahre älter als damals im Religionsunterricht; denn ich wurde in eine Klasse eingeschult, die nach dem Zweiten Weltkrieg 1945 begann. Wir hatten alle Religionsunterricht, obwohl wir im russischen Sektor Berlins wohnten. Mit Zensuren. Wir nahmen auch Ostern durch, ohne Filter, ich weiß bis heute nicht, was sich unsere Religionslehrerin dabei dachte, vielleicht hatte sie im Krieg Schreckliches erlebt, der war ja erst ein halbes Jahr vorbei, und war gefühllos und mitleidslos mit uns kleinen Kindern geworden: Jedenfalls schmückte sie den Kreuzgang und die Kreuzigung mit allen Details aus, das hatte der Herr für uns gelitten, sagte sie, für dich auch, Helga, ja, am Karfreitag, *O Haupt voll Blut und Wunden*, mit Dornenkrone und Nägeln in Händen und Füßen.

Ich habe in dieser Woche »Auferstehung kindgerecht« gegoogelt und gelesen, was es für hübsch illustrierte Kinderbücher gibt mit den Jüngern und dem Abendmahl. Die Kreuzigung wird in diesen heutigen Kinderbüchern als übliche Strafe in der damaligen Zeit beschrieben. Heute beruhigt man die Kinder, dass es Beistand für Ihn gab, Leute, die Ihm am Kreuz die Wunden kühlten, Seine Lippen benetzten, als Er Durst hatte, Ihn vom Kreuz nahmen und bestatten durften.

Und dann sind die heutigen Kinderbücher auch schon ganz schnell beim Auferstandenen.

Das ist das Osterwunder, das kann man glauben oder nicht, auch dass Er nach Seiner Auferstehung wieder mit Seinen Jüngern, Seinen Freunden zusammen war, ehe Er in den Himmel fuhr einige Wochen später.

Und wenn du daran glaubst, dann geht es dir gut damit,

steht in den heutigen Kinderbüchern, denn dann ist immer jemand da, der mit dir geht.

Bis auf die Woche vor Ostern, wie gesagt, da muss ich sehen, wie ich in diesem Wechselbad klarkomme. Da hat Er mit sich selbst zu tun, mit Seiner Todesangst und auch mit Seinem Vater und dessen Beschlüssen.

Bis Ostersonntag um zehn Uhr. Bis die schwarze Decke vom Altar genommen wird von einem Menschen, der viele Jahre Theologie studiert hat und nun sagt: Er ist auferstanden, Er ist wahrhaftig auferstanden.

Dann bin ich bis zum nächsten Palmsonntag erleichtert.

Ganz anders in meiner Kindheit: Als Sechsjährige packte mich die Wut auf den Verräter, der Ihm auch noch einen Kuss gibt, damit Ihn die Polizei, die Ihn sucht, auch ja erkennt und verhaften kann.

Das ist alles nicht so gewesen, sagte meine Mutter zu mir, als ich deshalb aufgeregt aus der Schule nach Hause kam. Sie glaubte nicht an Gott: Aber du musst schön in der Schule aufpassen, denn sonst verstehst du die Bilder im Museum nicht. Oder wenn es im Theater vorkommt oder in Büchern davon die Rede ist.

Mein Vater hat es mir nicht erlaubt, in den Religionsunterricht zu gehen, sagte meine Mutter zu mir. Und darum musste sie manchmal im Lexikon nachsehen, wenn sie ratlos vor einem Rembrandt- oder Michelangelo-Bild gestanden hatte.

Heute weiß ich: In dieser einen Woche vor Ostersonntag passiert alles, was ich inzwischen vom Leben verstanden habe:

Wie schnell sich das Schicksal für einen Menschen ändert,

dass man verraten werden kann.

Dass es immer unvermuteten Beistand gibt und einen Ausweg.

An diese Hoffnung will ich erinnert werden.

Einmal im Jahr.

## Mein Wald

Mein Wald steht nicht nur vor mir, sondern auch neben und hinter mir.

Mein Wald bedroht mich, ganz nah, und er schweigt.

Ich sehe keine Wiese hinter den Stämmen. Keinen Himmel.

Mein Wald schweigt – und ich hoffe, dass ich nur träume. Er schweigt.

In meinem Wald höre ich keine Menschenstimme, sehe keine Menschenseele.

Ich höre keinen Menschen. Kein Mensch, der meine Schreie hört. Oder hört er sie, will sie sogar hören – und schweigt?

Um mich herum nackte Stämme ohne Unterholz. Die Baumkronen lassen kein Sonnenlicht durch.

Das Mädchen wollte am Nachmittag mit dem Fahrrad zu seinem Freund nach Gelbensande. Und fuhr durch den Wald zu ihm. Der Mann, dem es zufällig begegnete, der es umriss und an den Baum fesselte, war gerade aus dem Zuchthaus entlassen. Ich stand am Grab des Mädchens und sah sein Bild an, die kleinen Wolltiere.

Wenn es nicht voll Vorfreude und Vertrauen die Abkürzung durch den Wald gefahren wäre, sondern den Umweg auf der befahrenen Landstraße. Dieser Mann lebt noch, dachte ich. Nicht zu glauben, dass er die letzte Erinnerung an das Mädchen hat, an den Waldweg, den Baum, nichts störte ihn, nichts hielt ihn ab in meinem schweigenden Wald, meinem gleichgültigen. Ungeborgen bin ich in meinem Wald.

Oder gibt es eine Lichtung? Wärme? Moos?

In meinem Wald liegt dort ein junger Mann in der Sonne auf dieser Lichtung, und wartet auf seinen Freund, der Hilfe holt: Denn ein Wildschwein hat mit den Hauern sein Bein verletzt, eine Arterie. Nun raucht er eine Zigarette und wartet. Als der Freund zurückkommt, ist er tot.

Du musst, sagt G., in deiner Waldgeschichte ein gutes Ende beschreiben, etwas, was fröhlich macht. Sie selbst gehe aber auch nicht allein in den Wald, denn als Jugendliche beim Training im Skilanglauf wurde sie im Wald plötzlich von einem schnelleren Skifahrer von hinten angefallen, und nur ihre Hilferufe und entgegenkommende Wanderer hätten den Mann vertrieben. Du musst etwas Fröhliches schreiben, sagt sie dringlich.

Vielleicht, dass K. sich in einem kleinen Wald verirrte? Denn, sagte er, wenn man den Himmel nicht sieht und die Schatten mit der Dämmerung verschmelzen, läuft man im Kreis. Man verliert die Orientierung. Man kann auch nicht geradeaus laufen, weil die kleinste Abweichung einen wieder im Kreis laufen lässt.

Glotzt nicht so romantisch, schreibt Brecht in *Trommeln in der Nacht*. Glotzt nicht so romantisch, ihr blutdürstigen Feiglinge, ihr, endet die Aufforderung eines halbherzigen Revoluzzers im 5. Akt, während Brecht schon vor dem 1. Akt diesen Satz als »antillusionistischen« Plakatspruch für den Zuschauerraum empfiehlt.

Nun, wo ich weiß, warum ich mich an das Mädchen von Gelbensande und den jungen Raucher im Wald erinnerte, kann ich zugeben, dass auch ich den Wald manchmal sehr romantisch finde, nämlich eingewickelt in meine rote Decke mit Mäandermuster, Beine hoch auf dem Sofa, Ingwertee und einen schwedischen weichen Haferflockenkeks neben mir und vor mir auf dem Fernsehschirm den Regenwald oder Affen turnend von Wipfel zu Wipfel oder Baumleoparden oder lesend: Italo Calvino, *Der Baron auf den Bäumen*, der überhaupt nicht mehr auf die Erde kommt, so wohl fühlt er sich da oben, oder das Baumhaus im Schweriner Zoo, das man nachts mieten kann und das den Tourismus der Stadt ankurbeln soll, ja, es gibt den Wald für mich in ungefährlicher Form auf Briefmarken, auf Gemälden, in der Musik.

Ich könnte eigentlich meinen bösen Wald zu einem duftenden Wald umdenken, zu einem singenden voller farbiger Vögel, zu einem schützenden bei einem Regenschauer. Warum an einschlagende Blitze denken, an Mörder? Es sollen doch so wenige in der wandernden Bevölkerung sein.

Manche Waldbewohner wollen einfach nur in Ruhe gelassen werden, wie der Mann im Wald bei Warin, der sich in gefüllten Mülltüten vor der Kälte schützte und sogar über die Bahngleise flüchtete, wenn ihn jemand ansprach.

Aber ich will nicht wieder von vorn anfangen.

Denn jetzt hatte ich doch gerade das geforderte Happy End, G.

# Das alles nicht, nichts davon

Ein deutscher Literaturprofessor fragte bei mir kürzlich an:

1. Frage: Haben Sie sich während Ihrer DDR-Jahre als »DDR-Schriftstellerin« verstanden – wenn ja, in welchem Sinne, und wenn nein, warum nicht?

Einem deutschen Literaturprofessor antwortet man, denn es besteht immer die Gefahr, dass er sich in einer Rezension oder einer Vorlesung daran erinnert, wenn man nicht geantwortet hat. Also antwortete ich, denn schon in der Bibel steht: Deine Rede sei Ja Ja, Nein Nein:

Ja. Notgedrungen, eine Zuordnung von außen, eine Etikettierung, schließlich wollten Germanisten eine Doktor- oder Habilarbeit schreiben, schließlich wollten Ideologen beweisen, dass das Sein das Bewusstsein bestimmt: In der DDR unter diesen definierten Umständen leben, schreiben, in die Öffentlichkeit streben muss einfach eine DDR-Schriftstellerinnen-Identität gebären.

Ja. Im Sinne Tucholskys: Ich als … –

Ich lebte in vielen Rollen. Ich als Mitglied der Evangelischen Kirche …

Ja. So wie nach beendeter Mitgliedschaft in einem Klein-gartenverein: Haben Sie sich während Ihrer Kleingarten-zeit als Kleingärtnerin verstanden?

Ja, aber ich habe mich geschämt – und ich konnte es einfach nicht verdrängen oder gar vergessen, dass wir in einem Tümpel leben, dass es die große weite Welt und die Weltliteratur gibt und die großen ungebärdigen Dichter Kleist und Heine und die Mayröcker, die auf meinem Sofa in Ostberlin saß und sagte: Keinen Tag könnte ich hier leben – und ich ihr antwortete: Ich auch nicht. Und dass alles überschattet war durch den Moloch der Diktatur (wie in dem Goya-Bild).

Nein. So provinziell und arrogant war ich nicht. Denn ich wusste, dass ich eine Berliner Schriftstellerin, eine zu-fällig Ostberliner deutsche Schriftstellerin bin, dass ich zu diesem Strom der deutschen Literatur gehöre. Ein Fisch im durch Abwasser vergifteten Wasser, das von der Quelle schließlich ins Meer fließt und dort ankommt und dazuge-hört zu diesem Riesenweltmeer.

Nein: Als ich von der Biennale-Leitung Venedig (mit meinem Spielfilm *Die Beunruhigung* 1982) extra in dem Hotel untergebracht wurde, in dem *Der Tod in Venedig* spielt, geschah das mit der Begründung, dass ich als deut-sche Schriftstellerin das als Verbeugung vor Thomas Mann verstehen soll. Und ich freute mich sehr.

Nein: Als ich von der Reich-Ranicki-Jury nach Klagen-furt eingeladen wurde zum Bachmann-Wettbewerb und keine Ausreise bekam.

*Sehr geehrter Herr Professor,*
*vielen Dank für Ihren Brief mit den drei Fragen zur*
*DDR-Schriftstellerinnen-Identität. Ich freue mich,*
*dass Sie mich in einer der möglichen Schubladen ge-*
*funden haben, denn wir sind 2008 aus Berlin in ein*
*sehr abgelegenes Dorf Nähe Wismar gezogen. Ihr*
*Forschungsthema interessiert mich, und ich werde*
*Ihnen in den nächsten Tagen in einem E-Mail-An-*
*hang mit hoffentlich Hand und Fuß zwei Seiten dazu*
*senden, denn ich bin schon bei Frage 2. – Es kommt*
*einem ja vor wie im Märchen: Drei Fragen, und dann*
*ist man erlöst. Die DDR ist wie eine Brandmarke bei*
*einem Zuchtpferd – man hat sie lebenslang.*

2. Frage: Hat sich für Sie nach dem »Beitritt der Deutschen Demokratischen Republik zum Geltungsbereich
des Grundgesetzes der Bundesrepublik Deutschland
gemäß Art. 23 des Grundgesetzes mit Wirkung vom
3. Oktober 1990 (BGBI, 1990, I, S. 2058) etwas in diesem
Selbstverständnis geändert?

*Sehr geehrter Herr Professor,*
*heute endlich kam ich auf die rettende Idee, Sie ein-*
*fach direkt um die dritte Frage zu bitten, die Sie mir*
*zum Thema einer evtl. DDR-Identität als Schriftstel-*
*lerin stellten. Ich hatte nämlich spontan die erste Frage*
*beantwortet (siehe Anlage), mir dann die zweite Frage*
*abgeschrieben, um sie im Text zu beantworten, dann*

erst Ihnen eine kurze E-Mail-Bestätigung gesandt, dann Ihre umgehende, freundliche Antwort dankend erhalten, dann erst noch Freunde nach ihrer Meinung gefragt (»Du? Du bist eine deutsche Schriftstellerin, doch keine DDR ..., nie gewesen!«) und dann erst einmal assoziiert. Und dann war Ihr Brief weg. Das ist ja ein wunderbarer Aufhänger, dachte ich, für eine Erzählung, die ich schreiben kann. Zwischendurch tauchte Ihr Brief auch wieder auf wie ein Teil vom Flugzeug 370 aus dem Ozean – aber für mich war das der Beweis, dass meine Seele mir sagt: Spiele mit dem Thema, statt sachlich Menschen zu antworten, die zu einem Ende kommen wollen. – Ich werde also eine Erzählung darüber schreiben und trotzdem jetzt wirklich umgehend Ihre zweite (die ich ja habe) und vor allem die von mir vergessene dritte Frage beantworten. Es hat bei mir die letzten 28 Jahre gebraucht, um endgültig zu begreifen, dass ich zu einer Minderheit gehöre; bis dahin dachte ich, es denken noch mehr Schriftsteller so wie ich.

Es hat seine eigene Komik, dass ein E-Book-Verlag alle meine Bücher, auch die ohne Druckgenehmigung innerhalb der DDR-Zeit und die nach 1990 erschienenen, unter dem Label DDR-Autoren herausgibt.

Sehr geehrter Herr Professor,
danke. JA. Die dritte Frage nach dem Verlorenen hilft. Die betreffende Erzählung kann ich nun beru-

*higt beginnen. Die Antwort auf diese dritte Frage ist*
*dann die Pointe: Denn sie besteht nur aus einem Wort,*
*es ist ein Triumph: Nichts.*

Ich erinnere mich in diesem Zusammenhang an einen
Besuch (zu DDR-Zeiten) in Wien (DDR-Schriftsteller in
Wien): Zu meiner Lesung im 1. Bezirk kam außer Jandl
und Mayröcker auch Dorothea Zeemann, die mich zu
sich einlud: Sie hatte draußen an ihrer Wohnungstür eine
Postkarte mit dem folgenden gedruckten Text angebracht,
die Karte schenkte sie mir auf meine Bitte – und ich hab
sie aufgehoben:

*Das alles nicht, nichts davon.*

# Vom Erinnern

Aus dem Westen in den Osten und eigentlich auch nur für drei Stunden war der Verlagslektor gekommen.

Nun stieg er als Einziger aus und blieb erwartungsvoll stehen, angelächelt von der Rotkreuzschwester des Bahnsteigs.

Sie brauchte ihm nicht beim Umsteigen zu helfen: Niemand aus diesem Zug war bei ihr angemeldet.

Hier steigt man nicht aus, man setzt sich nicht in ein duftendes Bistro mit tiefen Fenstern und betrachtet die an- und abfahrenden, die verpassten Züge.

Hier gibt es gar kein Bahnhofscafé mehr, auch keinen Fahrkartenschalter. Eine Weile stand auch der Fahrkartenautomat unten im Tunnel nicht mehr, die Bahn transportierte ihn ab, weil er immer wieder aufgebrochen wurde.

Der Verlagslektor war müde: Erst von Frankfurt am Main nach einem Arbeitstag am Computer mit dem Nachtzug bis Hamburg, dann hatte er sich mit dem Regionalzug hierher nach Bad Kleinen in Mecklenburg durchgeschlagen.

Bad Kleinen? Zwei Tote vor einigen Jahren und ein

zurückgetretener adeliger Generalstaatsanwalt. Ein Tod geklärt, der andere umstritten, schon in die Literatur eingegangen.

Der eine Tote, aus der RAF, kam auch aus dem Süden des Westens, ich glaube aus Wiesbaden, kann man dazu schon Süden Deutschlands sagen? Es geht ja immer weiter südlich, unvorstellbar weiter südlich, Baden-Baden, Freiburg, Konstanz, immerzu ist seit dreißig Jahren mein Land nicht zu Ende.

Er kam hierher zu seinem geheimen Treffen, weil er sich hier vermutlich vollkommen außerhalb der Welt, die ihn suchte, wähnte.

Falsch gedacht, denn auch hier konnte man nun seinen Steckbrief betrachten, auch hier las man Zeitung und wusste, dass er und seine Leute in der DDR, als sie noch real existierte, mit Kleinbürgeridentitäten in Hochhäusern unter Regierungsschutz lebten nach ihrer Sturm-, Drang- und Mordzeit im Westen.

Aber wo waren sie nun untergetaucht? Nachdem ihre Führungsoffiziere vom Ministerium für Staatssicherheit Versicherungen verkauften.

Wo trafen sie sich geheim?

In Bad Kleinen auf dem Bahnhof in der Mitropa. Die West-Weltrevolution aß Bockwurst von einem Pappteller mit Bautzener Mostrich, das denke ich mir jetzt aus, aber was hätten sie sonst bestellen sollen? Überall standen doch diese Wurstwärmer mit dem Wasser am Siedepunkt. Sie saßen dort ganz allein, während die Ostmenschen, unter die sie sich jahrelang unerkannt mischen konnten, seit der Einheit Deutschlands und deren ungewohnt verteuerten Dienstleistungen nicht mehr in Bahnhofs-Gaststätten saßen, sondern die Rostocker Bockwürste in Zehnerpackungen in Lake und Folie im Supermarkt erwarben und zu Hause verzehrten.

Nur weil sie alle hier ihre Autos abbezahlen wollten, fiel die West-Weltrevolution in der Mitropa in Bad Kleinen auf.

An diesem für uns nächstgelegenen Bahnhof sollte ich den Verlagslektor mit dem Auto abholen, denn querfeldein fährt kein Bus und wenn, sowieso nur morgens um 6.28 Uhr als Schulbus und dann auch nicht in unsere Richtung. Ich hätte ein Taxi überreden können, auf dem Bahnhofsvorplatz auf ihn zu warten, aber der einzige Taxifahrer weit und breit hatte sich schon lange aufs Abschleppen verlegt, weil sie hier so gern Airbagging spielen: Erst wird das Auto geknackt, dann kurzgeschlossen, dann in beträchtlicher Geschwindigkeit das Gaspedal durchgetreten, die hügelige Landstraße hinauf und hinunter, langsamere Autos überholend, auch vorm Berg links von der durchgezogenen Linie, gestern war hier auch niemand entgegengekommen, gegen einen Alleebaum gelenkt, dann zeigte sich ja, ob der Airbag aufging. Bei Autos ohne Airbag waren die Chancen geringer, dass der Airbag funktionierte, aber das war das Risiko. Manchmal waren die geknautschten Autos menschenleer und auch gar nicht so blutverschmiert, wenn der Taxifahrer sie abschleppte, da war es also gut gegangen, die Fahrer lebend geflohen. Polizei und Rettungsdienst, also die 110- und 112-VW-Busse, atmeten auf, und der Taxifahrer konnte die Autos ausschlachten oder wieder aufbauen, ganz nach Wunsch der Versicherung und der Besitzer. Also, ein Taxi hatte ich nicht bestellt, den Verdienstausfall hätte ich dem Taxifahrer gar nicht ersetzen können, wenn es ausgerechnet, während er tatenlos auf dem Bahnhofsvorplatz auf diesen Verlagslektor aus dem Westen wartete, ein schönes Auto erwischt hätte und ein anderer ihm beim Abschleppen zuvorgekommen wäre.

Wie immer auf dem Bahnhofsvorplatz dachte ich an den Hubschrauber der GSG 9, der damals hier landete, weithin zu hören und zu sehen, auch für die konspirativen Bockwurstesser in der Mitropa, an die schwarz maskierten Polizisten, die hundert Stufen in den Tunnel hinunterrennend, auch sie ungeschützt vor den Blicken der Bockwurstesser, die sich für den nächsten abfahrenden Zug entscheiden konnten, also Bahnsteig 1, die schwarzen Polizisten folgten einem Hinweis auf ein geheimes Treffen untergetauchter RAF-Leute, ausgerechnet hier am Ende der Welt in der verflossenen DDR, ich dachte an sie, wie sie im langen, tiefen Tunnel unter den Bahngleisen den Funkkontakt verloren und einer von einem der Meistgesuchten, der gerade Kaffee getrunken hatte in der Bahnhofskneipe mit Aussicht auf Bahnhofsvorplatz und Hubschrauber, darum der Vorsprung bei seiner Flucht, aus nächster Nähe am Ende der Treppe zum Bahnsteig erschossen wurde, als er ihn lebend ergreifen wollte. Und wie auch der Meistgesuchte bald auf den Gleisen tot lag.

Man soll den Osten nicht unterschätzen, seine Funklöcher, seine Leere, seine vollkommene Durchsichtigkeit. Sogar der Generalstaatsanwalt, ein Adliger, trat zurück. Und die Bahn wagte nicht, eine Gedenktafel für den erschossenen GSG-9-Mann zu errichten wegen der Drohung angeblich fortschrittlicher Kräfte aus dem Westen, dann die Bahngleise sitzend zu blockieren. Ein Jahr später hörte ich im Radio, dass für ein paar Stunden ein Blumenstrauß und eine kleine Papptafel auf Gleis 1 im Bahnhof Bad Kleinen an den erschossenen jungen Polizisten erinnerten, und ich fuhr auch dahin mit einem Gartenblumenstrauß, alles war leer, aber im Hintergrund standen zwei groß gewachsene Männer, der eine vielleicht einer von denen, die ich im Fernsehen maskiert bei den Befragungen gesehen hatte: Hat einer von euch den flüchtenden RAF-Mann mit dessen eigener Waffe erschossen, nachdem er euren Kollegen umgebracht hat? Warum habt ihr über ihm gekniet auf den Gleisen? Und wer von euch?

Ich legte meinen Blumenstrauß vor das Bild des toten Polizisten, da kam ein junges Paar mit einem vielleicht Achtjährigen hinter mir die Stufen hoch und blieb auch zum Gedenken stehen. Der zweite Mann kam näher und fragte das Kind:

Weißt du, warum hier Blumen liegen?

Das Kind antwortete: Ja, das hier war ein Polizist, der einen Verbrecher fangen wollte, nur mit den Händen, und da hat sich der Verbrecher umgedreht und ihn totgeschossen. Der Polizist wollte den gar nicht erschießen.

Woher weißt du das?

Das haben mir meine Eltern so erklärt.

Dann wandte sich der Mann an mich: Sie haben Blumen, sind Sie extra hergekommen? Und warum?

Ich antwortete.

Er schrieb mit, dann sah er mich an:

Sie sprechen ja druckreif, kann ich Sie mit Namen und Beruf in unserer Zeitung verwenden?

Ich war einverstanden, aber er bedauerte, als er meinen Beruf hörte, nein, eine Schriftstellerin konnte er nicht gebrauchen, und dann noch eine Berlinerin, nein: untypisch.

Ich bin untypisch. Das sagte mir auch der Kardiologe kürzlich: Na ja, mit Medikamenten kriegen wir Ihren Blutdruck nicht allein runter, Sie sind nicht die typische Mecklenburgerin, Sie springen zu schnell an.

Als der Verlagslektor ausstieg, sah ich ihn gleich, denn er blieb ruhig stehen, neben der Rotkreuzschwester, und sah auf den großen sonnigen nahen Schweriner See, gleich neben den Gleisen, darum hatte ja auch der Kaiser in Vorzeiten hier gekurt, und darum heißt es nun Bad Kleinen und nicht Kleinen wie davor.

Niemand sonst außer uns stieg vom Bahnsteig in den Tunnel hinunter und dann wieder die hundert Stufen zum Bahnhofsvorplatz hoch. Kein Fahrstuhl, keine Rolltreppe.

Immer, wenn ich hier ankomme oder abfahre, stürmen

die Schwarzmaskierten an mir vorbei, und einer von ihnen muss sterben.

Am Ende der Treppe hatte ich ihm schon alles erzählt.

Das ist ja hier eine Idylle, direkt am See, sagte er bei der Begrüßung.

Der Verlagslektor kam nicht nur aus dem Süden, nein, er stammte auch aus dem Süden. So weit im Osten war er noch nie. Jedenfalls noch nie so hoch in dessen Norden, sagte er entschuldigend und erwartungsvoll.

Und als wir mit der Arbeit fertig waren, also die wenigen erwünschten Korrekturen besprochen hatten, die Rechtschreibreform war gerade über uns gekommen, und ich wollte eigentlich am liebsten alles weiter zusammenschreiben, was meiner Meinung nach in ein Wort gehörte und nicht in zwei oder drei, immer will ich alles zusammenhalten und nichts auseinanderfallen lassen, aber er wusste nicht, in welche Richtung sich die Regeln bewegen würden, und das Manuskript sollte in den Druck, – als er eigentlich an die nahe Ostsee weiterreisen wollte, wenn er schon mal hier war, musste er als Dienstreise-Belohnung oder -Gelegenheit doch an die Ostsee weiter, das hatte er sich extra so auf den Donnerstag gelegt, so war der Rückfahrfreitag ein kleiner Urlaub im Unbekannten, sah er sich in der menschenleeren Landschaft um unser kleines Haus einmal im Kreise bis zum Horizont um und fragte, ob hier überhaupt noch jemand lebe, im wahrsten Sinne des Wortes, man lese doch von der Landflucht, besonders der jungen gebildeten Frauen.

Ja, sagte ich, hinter dem Horizont, also hinter dem Sandberg, stehen in weiten Abständen schon hin und wieder Häuser, auch mit Menschen darin, mit lebenden Menschen.

Dann müssten da ja auch Wege sein, vielleicht könnte man ja doch noch einen kleinen Spaziergang anschließen.

Hier aus dem Dorf geht sogar eine Panzerstraße, zwei Betonstreifen, durchgesetzt von den Grünen, als sie nach der Wende so gern auf die Kröten Rücksicht nehmen wollten, die hier, das sah man in Luftaufnahmen, die sie bei ihren Besuchen von Haus zu Haus vorzeigten, kurz bevor die Bürgerinitiative für eine Straße und gegen die Kröten auch von Haus zu Haus Unterschriften sammelte, vom Moorsee über den Weg wechselten und deren Überlebenschancen umgekehrt proportional zum Tempo der herannahenden Fahrzeuge stiegen. Bei Lübeck war wegen der Kröten ein Tunnel, eine Unterquerung der Ostsee-Autobahn, von einem hohen Gericht verfügt worden, bei uns nun die Panzerstraße mit ihren zwei Betonstreifen und Tempo 30, das niemand einhält.

Wenn ein Auto hinter den hohen Büschen in der Kurve entgegenkommt, kann man sein Leben mit einem Sprung in die Heckenrosen retten, aber die Kröten schaffen es nicht, sie liegen ledrig in der Sonne.

Für den Rundgang brauchen wir eine Stunde, und Sie schaffen den Zug zur Ostsee um fünf.

Die beiden Nachbarhäuser links von uns und das rechte auch gehören Westlern, sagte ich. Aber nur die beiden linken Besitzer wohnen ganz hier, und von einem der beiden Paare sind die Kinder im Westen geblieben. Mit seinen Kindern wohnt also nur ein Westpaar hier, am Ende der Straße am kleinen See mit dem Schwingmoor in der Mitte, eine Geigenbauerin und ein Hornist. Als im Sturm unser Pflaumenbaum brach, bat sie um sein Holz für ihre Stege und manchmal hören wir seine Tonleitern. Früher, als sie ihre beiden Kinder noch nicht hatte, wanderte sie tagelang allein durchs Gebirge, nun sieht man sie manchmal regungslos auf einem Bein meditieren im ersten Stock vor dem großen Fenster mit dem Blick über den See bis zur Mühle und dem Weidenweg am Horizont.

Einmal zur Fastenzeit, als die Kirche noch eisig war, nahm sie mich mit zur Schweigemeditation dort, verteilte Zettel mit Bibelsprüchen, unser Atem blies Wolken in den kalten, dunklen Raum, nur am Altar eine Kerze.

Sie bauten lange an ihrem alten Haus, gönnten ihm dunkle Tonziegel, Holzbalken, Klinkerwände und einen großen Ofen in der Mitte, und als sie fertig waren, luden sie zu einem Fest mit Musik, wir alle brachten Blumen und Wein und Salate und Kuchen.

Auch ihre Eltern aus dem Westen kamen, mit einem Anhänger voll Erbsensuppe, auch aus dem Westen. Zu spät, sagte die Schwiegermutter, sei ihr eingefallen, dass es so etwas im Osten vielleicht auch gäbe.

Ich kannte sie schon von ihrer Stimme am Telefon, denn als die Geigenbauerin und der Hornist am Anfang noch kein Telefon hatten, rief sie mich öfter an mit dem Auftrag, die hundert Meter zu ihrer Schwiegertochter zu gehen, um ihr auszurichten, dass sie ihr gerade ein Päckchen gesandt hatte. Die Geigenbauerin war dann immer bestürzt und erinnerte sich, dass ihre Schwiegermutter auch im Kreiß-saal angerufen hatte mit dem Hinweis an die Hebamme, darauf zu achten, dass sie sich bei den Wehen nur nicht verkrampfe.

Sie war aber nicht die erste Westschwiegermutter in unserem Dorf:

Die erste kam in den Achtzigerjahren aus ihrem Luxus-Altersheim in Schleswig-Holstein in unser Haus zu Be-such, weil es den kleinen Grenzverkehr schon gab, sie ihre Tochter und ihre Enkel sehen wollte und wir so nah an der Westgrenze leben:

Die Ex-Frau meines Mannes traf sich also mit ihrer Mutter.

Und ich kochte für sie.

Kleiner Grenzverkehr.

Die Nähe zur Westgrenze war auch der Grund, dass in den Sommerferien 1990, es gab schon die Währungsunion, in unserer Sackgasse vor unserm Gartenzaun zwei Radfah-rer, ein Mann und eine Frau, anhielten und ein Gespräch über unsern Rittersporn begannen, wie groß und wie blau und wie fruchtbar alles sei, und dass man kein Vorurteil gegen Mecklenburger haben solle, denn man komme so-fort mit ihnen ins Gespräch.

Sind Sie Lehrer aus dem Westen?, fragte ich sie und bat sie herein zu einem Tee.

Auch das machten alle, sagten sie.

Sie sahen uns freundlich an, uns vermeintliche Ur-einwohner, und sagten, wir haben jetzt Schulferien und fahren im Zickzack West-Ost-West-Ost-West mit unsern Rädern hin und her, von oben nach unten, wir nähen jetzt Deutschland zusammen, aber übernachten tun wir im Westen, dazu ist uns doch alles noch zu unbekannt.

In diese Einsamkeit trauen sich sogar Trauerseeschwalben, Kraniche, Reiher, am Abend kurven Fledermäuse, vor Kurzem zischte mich vor Angst eine Ringelnatter an beim Bettenmachen, sie hatte sich über die warmen Platten des Wintergartens ins Haus und dann in unsere Betten verirrt.

Gewöhnungsbedürftig, entgegnete der Verlagslektor.

Zum Schluss, wenn Sie noch fünf Minuten Zeit haben, werden wir der Stille zuhören und uns auf die Bank am See setzen. Schließlich haben wir die von der Europäischen Union:

Eines Tages kam der Bürgermeister und wollte von uns wissen, wo der schönste Platz für so eine stabile Holzbank sei; denn es wären der Gemeinde dafür Gelder angeboten worden.

Nun steht sie am See vor einem immer höher wachsenden Busch auf einem Podest, das der Maurer von gegenüber gebaut hat, einfach so, ohne Geld, denn so eine schöne Bank kann schließlich nicht im Lehm versinken.

Der Bauer von gegenüber ist nebenbei Maurer und ein fleißiger Mann.

Bis in die Dunkelheit und am Wochenende bestellt er

seinen Acker mit einem Fuhrpark jahrzehntealter Traktoren und Eggen und Pflügen; denn für seine Familie baut er Kartoffeln und für seine Pferde Rüben und Getreide an.

Beim Ringreiten siegt er in allen Dörfern ringsum.

Weil die Gaspreise so steigen, heizt er nur noch mit Holz.

Sein Hof ist mit einem riesigen Wall aus grob gesägten Holzstämmen umgeben.

Weil sie das so warm und gemütlich finden, hausen darin die Ratten.

Ich sah sie schon am Tag herumhuschen.

Er würde sie ja gern vergiften, nicht aber seine Hunde:

Denn die laufen frei herum. Im Dunkeln erkennen sie uns bei Gegenwind erst in letzter Minute.

Hier haben Ortsfremde nichts zu suchen, denke ich bänglich, wenn die großen Tiere blaffend auf uns zustürzen.

Senta hat gerade zehn Junge geboren, davon hat er schon sieben vergeben, und der blinde schwarze Prinz, ein riesiger zotteliger Schäferhund, darf sein Gnadenbrot fressen.

Der Förster hat die Buchen an der Fernverkehrsstraße zum Fällen freigegeben – und nun holen sich alle Ureinwohner Leiterwagen voller Holz für die nächsten Jahre und bauen auf ihren Höfen Holzmieten.

Die Übrigen im Dorf, die dazu keine Zeit und Kraft haben, heizen mit Erdgas.

Einmal im Sommer kamen wir an einem Sonntag vom Zug spät aus Berlin und sahen den jungen Bauern von gegenüber ungewohnt aufgeregt auf dem Hof umherlaufen.

Dass noch die Polizei in der Nacht kam, mit Blaulicht, aber ohne Sirene, und auch ein Arzt, erfuhren wir erst am nächsten Nachmittag, zufällig, als wir Eier bei seiner Mutter holen wollten:

Alle saßen ernst am Kaffeetisch unterm blühenden Flieder, aßen nichts, hatten nur die Kaffeetassen vor sich zu stehen – und als wir unsere Eierbehälter hervorholten, sagte der junge Bauer:

Die Beerdigung ist am Donnerstag.

Sein Vater hatte sich am Abend zuvor im Schuppen erhängt – und der junge Bauer hatte ihn noch gesucht, als wir abends zurückkamen und ihn aufgeregt im Hof herumlaufen sahen. Kurz darauf hatte er ihn gefunden.

Kein Entsetzensschrei, keine Polizeisirene, kein Weinen in der nächtlichen Stille.

Wir erschraken, als wir mit dem Eierbehälter so ahnungslos vor den Hinterbliebenen standen, dass wir demnach hier wohl so ganz und gar in Distanz leben.

So zurückgezogen.

Alle Achtung, dazu gehört Mut, hörte ich viele sagen bei der Beerdigung.

Der junge Pfarrer mit den ausholenden Armen und dem vernuschelten Segen, so als ob er alles Pathos vermeiden wollte unter all den Atheisten, die nur zur Beerdigung in die Kirche kamen oder am Heiligabend zum Kindergottesdienst, er selbst hatte sich erst als Erwachsener, noch in der DDR, für den Glauben interessiert und sich taufen lassen, er versteht diese Zweifelnden.

Der Pastor würde mich – ich habe ihn gefragt – auf dem Meer bestatten oder im Friedwald – denn vor Gott ist niemand anonym.

Zu Ostern stellte er eine Gießkanne auf die Kanzel, eine Trinkflasche und Schnaps – Osterwasser – und fragte, nur die Kinder durften antworten, wozu man Wasser braucht.

Ja, zum Waschen, zum Gießen und zum Kaffeekochen, richtig, aber auch zum Taufen.

Darauf waren sie nicht gekommen.

Und dann taufte er zwei am Ostersonntag:

Einen Zweijährigen aus dem Dorf und einen Erwachsenen, aus Hannover stammend, also aus dem Westen. Dessen hübsche Freundin stöckelte auf die Einladung des Pfarrers in den Altarraum, vielleicht seine Patin, ein freundliches kindliches Fest, diese Taufe.

Überhaupt diese jungen evangelischen Pfarrer um uns herum:

Jetzt ist es ja anders, aber zu Ostzeiten waren sie arm:

Das Pfarrhaus mit Ofenheizung, die Kirche mit löchrigem Dach.

Und erst die Glocke damals und die Orgel und die wunderbaren, kaum noch erkennbaren Altarbilder in der alten Dorfkirche.

Unser junger Pfarrer segnete also unseren toten Nachbarn ein, kein tadelndes Wort über den Selbstmord, nur

Mitleid mit dem Krebs im Hals, Gewissheit und Trost, dass er nun erlöst ist von allen Schmerzen.

Der Sarg wurde auf seinen eigenen Pferdewagen verladen, auf dem er sonst die Särge von der Kirche zum Friedhof durchs Dorf gefahren hatte.

Nun folgte ihm das Dorf.

Dazu gehört Mut, murmelten sie, da hat er seiner Familie viel Mühe erspart.

Und der Landarzt sagte, hier hängen sich alle auf, wenn sie genug haben:

In der Garage, am Apfelbaum.

Er wird gerufen, um sie abzuschneiden:

Manchmal in der Pause zwischen Vormittags- und Nachmittagssprechstunde.

Das ist ja archaisch, sagte der Verlagslektor.

Eigentlich sollte unser kranker Nachbar am Montag in der Klinik aufgenommen werden, um operiert zu werden.

Am Freitag, also zwei Tage vor seinem Tod, schlug ihm darum die Klinikärztin vor, sich schon einmal die Station anzusehen:

Er werde künstlich ernährt durch eine Sonde und nie mehr normal essen können, und weil er sonst unter sich machen würde, werde ihm ein Katheter in die Blase eingeführt.

Überwiegend müsse er nun liegen, darauf solle er sich einstellen.

Auf Wiedersehen, bis Montag.

So jedenfalls hat unser Nachbar das seiner Frau erzählt.

Er war gerade siebzig geworden und aß so gern, fast den ganzen Magen hatten sie ihm schon früher mal weggeschnitten, darum blieb er schlank, sie schlachteten selbst, und nun sollte er nichts mehr schmecken?

Am Sonnabend war die Hochzeit der Enkelin, eine richtige Bauernhochzeit, er tanzte mit ihr und beschenkte sie großzügig. Tanzen ist meine Welt, sagte er. Bald würde das Urenkelchen geboren werden, man sah es schon.

Am nächsten Tag, am Sonntag, an dessen Abend er nicht mehr leben würde, ging er zum Frühschoppen und Resteessen, hier wird der Pfundstopf mit einem Pfund Butter, einem Pfund Speck, einem Pfund Schweinefleisch, einem Pfund Rindfleisch gekocht, er genoss alles, dann ging er durchs Dorf, so wie wir jetzt, und verabschiedete sich von allen.

Er wusste es, aber nicht die anderen.

Alle merkten erst am nächsten Tag, dass dies sein Abschied war. Er fragte nebenbei, nur wir waren ja in Berlin, so konnte er uns nicht fragen, ob alles in Ordnung sei, ob irgendetwas noch zu klären sei, zum Beispiel mit einer Ackergrenze oder so etwas Ähnlichem.

Nichts war mehr zu klären für ihn, als er am Tag nach der Hochzeit in seinen Schuppen ging.

Als sein Sohn, der junge Bauer, ihn schließlich fand, lief er zurück zu seiner Frau, das war die Nacht zu Montag, und bat sie, bei der Polizei anzurufen.

Sie bekam von dort die polizeiliche Anweisung, ihren

Schwiegervater abzuschneiden und möglichst wiederzubeleben.

Aber der Arzt stellte den Tod fest.

Am nächsten Tag, dem Montag, standen alle um fünf Uhr auf wie immer.

Es war zwei Tage nach der Hochzeit.

Und die Enkelin, mit der er noch getanzt hatte als Braut, band nun als Gärtnerin die Kränze und Blumengestecke für das Grab, in dem schon seine Eltern liegen mit ihrem Grabstein, neben der Schwester und dem Schwager.

Über Politik haben wir nie mit ihm gesprochen.

Aber über die Jahreszeiten und vor allem die Wolken.

Ob es Regen gibt, ob es trocken bleibt.

Über Grenzsteine und das Grundbuch.

Dass sein Kreuz wehtut.

Er musste ein Korsett tragen, hätte die Schmerzen sonst nicht ausgehalten vom lebenslangen Schuften und schweren Heben:

Ein Haus und ein wenig Acker waren vom Vater geerbt.

Von jung an hatte er im Schweinestall der LPG gearbeitet, auch am Wochenende, abends bestellte er noch den eigenen Acker, Futter für seine Pferde, mit denen er pflügte, für das eigene Vieh, die Bullchen, die Schweine.

Seine erste Frau starb in der Schwangerschaft, und er blieb mit seiner kleinen Tochter allein. Über eine Heiratsannonce lernte er seine zweite Frau kennen, eine Kriegswaise:

Sie liest voll Leidenschaft die Romane von Fürsten und

Chefärzten und Förstern, die eine arme anständige Waise kennenlernen und sie nach Intrigen spätestens auf Seite 57 heiraten und mit ihr glücklich werden.

Mit ihr hatte er noch zwei Kinder.

Und er trank.

Trank, bis sie ihm große Stücke aus dem Magen herausschneiden mussten.

Sein Haus hatte er schon lange seinem Sohn überschrieben und ein Wohnrecht für sich und seine zweite Frau behalten.

So geht alles weiter wie seit Hunderten von Jahren, der Acker wird bestellt, zum Kartoffelsammeln und zum Schlachten kommen die Verwandten und Bekannten, die Biberschwänze werden auf dem Dach neu verlegt, und die Straßenfront wird verklinkert.

Wenn wieder ein wenig gespart ist, kommen die Seitenwände und die Hofwand dran.

Die Enkelin mit ihrem kleinen Kind bepflanzt das Grab, das nun einen neuen Grabstein hat mit seinem Namen und dem Namen seiner Frau, obwohl sie noch lebt.

In Dankbarkeit.

Und ich habe von der Berliner Hauswartsfrau einhundert Hefte zum Glücklichmachen geerbt, die ich zusammen mit Eierbehältern und Kartoffelschalen über die Straße bringe, und die den immer gleichen Weg über den Fernsehsessel seiner Witwe, das Altenheim der Mutter der Schwiegertochter, deren Sohn und so immer weiter gehen.

Aus diesem Grund möchte seine Witwe auch keines

meiner Bücher geborgt bekommen, denn das müsste ja wieder zu mir zurückkommen, während diese Hefte ihren Weg durch die Nachmittage vieler Unbekannter nehmen können.

Und sie gehen immer gut aus.

Im Gegensatz zu den Büchern, die bei uns auf dem Nachttisch liegen.

Von diesen Auflagenhöhen können wir im Verlag nur träumen, sagte der Verlagslektor.

Vom Gehöft gegenüber steht nur noch ein Nebengebäude, der Schafstall.

Alles andere ist erst verbrannt und dann abgerissen worden.

Aber als das alte Haus noch als Ruine aufragte, noch nicht dem Erdboden gleichgemacht, mit dem eingestürzten schiefen Rohrdach, den verkohlten geschienten Dachbalken, dem neuen gemauerten Schornstein, den in der Brandhitze geplatzten Fensterscheiben, saß eines Tages vor diesem Schafstall, denn er hatte ein Ziegeldach und keines aus Rohr und war darum zu löschen gewesen, auf einem angebrannten Weidenbaum, ein Wellensittich. Und sah zu uns herüber.

Ein vollkommen absurdes Bild.

Er rührte sich nicht.

Wie sich später herausstellte, hatte er die Sprache verloren.

Hier fliegen Kraniche, Wildgänse, Reiher, Störche, Elstern, Raben, Eisvögel, Fledermäuse, Zaunkönige, Gartenrotschwänzchen, Schwalben, Wildtauben, ab und zu Schwäne, auch Spatzen an uns vorbei, aber keine Wellensittiche.

Was für ein Symbol, sagte ich zu dem Verlagslektor, das ganze Treiben im Haus gegenüber zusammengeschrumpft auf diesen sprachlosen Wellensittich.

# Mein Winter

Im Winter wird mein Leben klar und durchsichtig. Ich liebe den Winter.

Das Schönste am Winter ist eigentlich, dass die Bäume keine Blätter haben.

Ich werde nicht abgelenkt von ihrer wahren Gestalt. Von ihren Verwachsungen, ihren nach innen gerichteten Ästen, dem Versuch ihrer Kronen, das Gleichgewicht zu halten. Nackt, würdig, schutzbedürftig und verletzlich stehen sie vor mir. Kein Baum ist in den Himmel gewachsen. Im Winter sehe ich den Grund dafür: Die allein stehende Kastanie ist entwurzelt und umgefallen, denn wir waren beim Anbau zu nah an ihre Wurzeln geraten, der alte Forsythienstrauch ist unter der Schneelast zur Erde gebrochen, aber der junge aus derselben Wurzel hat es überlebt, denn er war nicht so starr, einige Äste der Apfelbäume brachen bei den Winterstürmen herab, weil sie bestimmt schon im Sommer abgestorben waren.

Mein neunjähriger Enkel fragte mich in diesem Winter, als er sich das Familienbild ansah: Jeder Mensch hat doch eine Großmutter, nicht? – Ja, antwortete ich, sogar zwei. –

Und jede Großmutter hat wieder eine Großmutter, sagte er, immer weiter zurück. Und leise fügte er hinzu: Wenn die nicht alle gestorben wären und noch alle leben würden, gäbe es unendlich viele Großmütter. – Ja, dachte ich, auf solche Gedanken kommt man im Winter: Man sitzt im Zimmer und sieht sich die hinterlassenen Fotos der verstorbenen Mutter an, und weil sie 101 Jahre alt wurde und alle aufgehoben hat, sind das kistenweise Fotos, auch von ihren, meinen Vorfahren, die auch die Vorfahren meines Kindes und meiner Enkel sind. Die umgekehrte Krone, die verzweigte Wurzel mit vielen Verästelungen bis zu diesem einen einzigen Menschen, der die vielen Großmütter entdeckt.

Im Winter kann man durch die zugefrorenen Furchen des Ackers gehen, in dessen Lehm man im Sommer ausrutschen würde, bis zum Horizont diese übersichtlichen Parallelen, und unter der hartgefrorenen Kruste keimt die Saat. Dieser Gedanke an die keimende Saat tröstete einen alten Freund, der bei seinen Besuchen im Winter immer über diesen gefrorenen Acker gehen wollte. Er lebte in der Stadt, da hat er die unsichtbare Gewissheit nicht wie hier, das sinnliche Bild für seine Hoffnung, dass es weitergeht, dass unter der gefrorenen Erde neues Leben entsteht. Er könnte sonst wegen seiner Trauer den Winter nicht überstehen, sagte er. Das waren eigentlich die einzigen Worte, die er bei dem letzten langen Spaziergang sagte.

Man muss nicht dauernd in den Garten gehen, gießen und Unkraut zupfen, und es gibt keine Schnecken, antwortete eine Besucherin, als ich sie nach Vorteilen des Winters fragte. Man hat nicht so ein schlechtes Gewissen, wenn man auf dem Sofa liegt und liest, fügte sie hinzu. Besonders, wenn Schnee über allem liegt.

Wenn ich von der Kälte oder dem Sturm draußen in die Wärme der Wohnung komme, die angewärmten Hausschuhe anziehe, einen Tee aufbrühe, mich in eine Decke wickele, es muss eine rotgemusterte Wolldecke sein, dann ist der Winter mein Alibi: Ich darf mich nur mit meinen Gedanken beschäftigen, mich erinnern an lange Vergangenes, an Zusammensein mit Menschen, die nicht mehr auf dieser Erde sind, aber das macht nichts, denn sie sind mir so vertraut, als ob sie gerade nur aus dem Zimmer ins Nachbarzimmer gingen. Im Winter leisten sie mir in der Wärme Gesellschaft.

Hellsichtig wird mein Leben im Winter.

# Die Einfuhr von Uwe Johnson

Zu DDR-Zeiten freuten sich die Organisatoren der Internationalen Hochschulferienkurse an den verschiedenen Unis und Pädagogischen Hochschulen für Deutschlehrer aus allen möglichen Ländern besonders über Gäste aus westlichen Ländern. Sie halfen, den Devisen-Einnahme-Plan für die Staatskasse zu erfüllen, denn sie bezahlten in konvertierbarer Währung. Man versuchte, die Kurse für sie anziehend zu machen, lud darum auch inländische Schriftsteller ein zu Lesung und Diskussion. Die Gäste sollten sich über deren kritische Haltung wundern und so einen positiven Eindruck von der Toleranz der DDR-Kulturpolitik mitnehmen. So saß auch ich eines Abends Mitte der Achtzigerjahre nach meiner Lesung unter Ausschluss der Öffentlichkeit zwischen Japanern, Schweden und anderen freundlichen Ausländern, denen ich aus meinem Buch *Das verbotene Zimmer* vorgelesen hatte. Ich erzählte ihnen, dass dieses Buch mit behördlicher Erlaubnis nur im Westen erschien und im Osten keine Druckerlaubnis bekommen hatte. Was kann in der DDR nicht alles gedacht, gesagt und geschrieben werden, sollten die Gäste eigentlich denken. Auch dass ich den Fallada-Preis aus dem westlichen Neumünster dafür nicht annehmen durfte, hatte ich ihnen erzählt. Und dass ich zur Belohnung für mein Wohlverhalten Lesereisen im Westen unternehmen durfte, ein ungeheures Privileg. Neben mich setzte sich an diesem Abend ein Assistent der Rostocker Uni und erzählte mir von seiner Freundin, die an der Pädagogischen Hochschule Güstrow eine Doktorarbeit über Uwe Johnson schreiben wollte und durfte, aber immer extra Tagesreisen nach Leipzig zur Deutschen Bücherei unternehmen musste, um unter Aufsicht seine Werke zu lesen, sozusagen unter Giftschrank-Bedingungen. Denn sie durfte sie nicht ausleihen. Er hatte schon versucht, für sie ein Johnson-Buch in einem Päckchen aus dem neutralen Österreich schicken zu lassen, aber es war vom DDR-Postzoll herausgenommen worden. Das Westgeld für die Bücher hätte er, sagte er, aber er sehe keine Möglichkeit, legal an die Bücher zu kommen und seiner Freundin die langen Leipzig-Reisen zu ersparen. Da ich auf den Rat des Ehemanns einer benachbarten Schriftstellerin, so wie sie auch, eine solche Postzoll-Nummer beantragt und tatsächlich erhalten hatte, Bücher aus dem Westen also bei mir zu Hause ankamen, schlug ich dem mir bis dahin unbekannten Uni-Assistenten vor, bei meiner nächsten Lesereise die Suhrkamp-Taschenbuch-Gesamtausgabe im Westen zu kaufen und an mich selbst zu schicken. Er sollte sie dann von mir zu Hause abholen, denn wir beide misstrauten mit Recht der Postüberwachung innerhalb der

DDR, und mir das ausgelegte Westgeld geben, für ihn und auch für mich eine ganze Menge. Alles verlief planmäßig. Die westliche Buchhändlerin konnte es nicht fassen, dass dieses von ihr selbst eingewickelte Buchpaket, ausgerechnet Uwe Johnson, im Osten wirklich ankommen sollte.

Um die Bücher bei uns in dem mecklenburgischen Dorf abzuholen, fuhr der Uni-Assistent erst mit dem Zug von Rostock bis Wismar und dann bei strömendem Regen mit dem Fahrrad zwanzig Kilometer, denn wir hatten kein Telefon, mit dem er sich hätte anmelden können.

Mein Mann gab ihm trockene Sachen.

Sie kamen wohlbehalten und sogar geplättet im Päckchen wieder.

Inzwischen sind dreißig Jahre vergangen, die DDR ist zusammengebrochen und der Student kein Student mehr. Das Westgeld hatte er sich während der Leipziger Messe auf einem Parkplatz verdient. Gut angelegt.

Seine Freundin ist aber leider nach Amerika weggegangen, ganz und gar, und schreibt, wie er sagt, immer noch an ihrer Doktorarbeit.

# Das eingelöste Versprechen

Mitte der Neunziger, als die Unterschiede zwischen Ost-
lern und Westlern unter besonderer Berücksichtigung der
Mecklenburger (sogar der Weltuntergang kommt fünfzig
Jahre später) besprochen wurden, begann ich, Ähnlich-
keiten zu suchen, und schnitt Zeitungsmeldungen aus.
Zum Beispiel von dem zweiundsechzigjährigen Segler,
der mit einer Frau, in der Zeitung stand ausdrücklich einer
Frau und nicht seiner Frau, unterwegs nach Hiddensee
war, dem seine Badehose ins Wasser fiel und der hinter-
hersprang, um sie zu holen. Das Boot trieb jedoch ab, und
die Frau verlor den Mann aus den Augen. Die alarmierte
Wasserschutzpolizei konnte ihn nur noch tot bergen.

Entweder hat er seine Kraft überschätzt und seine Kla-
motten zogen ihn in die Tiefe, oder die Badehose war so
teuer, oder er traute sich nicht, nackt zu segeln, obwohl
doch gerade auf Hiddensee Nacktbaden üblich ist, oder
er wollte der Frau imponieren. Wie konnte er eine Frau
im Segelboot alleinlassen, die ihm nicht hinterhersegeln
konnte? Und der kleine Hilfsmotor? Konnte sie den auch
nicht bedienen? Hat sie ihn überhaupt nicht bemerkt?

Zu DDR-Zeiten wäre das nicht passiert, da hätte er als normaler Mensch gar nicht auf dem offenen Meer segeln dürfen. Fluchtgefahr. Der Mann ist mit 62 Jahren in Mecklenburg-Vorpommern bei offenen Grenzen wegen einer ins Wasser gefallenen Badehose gestorben.

Genauso unverständlich der Fünfundzwanzigjährige aus dem Kreis Emsland, von dem auch in der Zeitung berichtet wird: Mit siebzehn anderen jungen Männern und Frauen sei er in einem gecharterten Sonderzug zur Mosel unterwegs gewesen. Als Einziger stieg er am Ziel, am Bahnhof Hetzerath, auf der falschen Seite aus, alle siebzehn anderen auf der richtigen. Er war sofort tot, als ihn der entgegenkommende Zug erfasste. Bei älteren Wagen sei es üblich, dass beide Türseiten geöffnet werden können, teilte die Bahn mit. Hat ihn denn niemand zurückgehalten? Hat er nicht auf die andern geachtet? Wenn man unbeachtet ist, also ungeborgen, lebt man gefährlich, egal ob West oder Ost oder sogar Mecklenburg.

Wir saßen spätabends im vorigen Jahr am Alten Strom in Warnemünde auf dem Balkon unserer Ferienwohnung und sahen das vielstöckige erleuchtete Kreuzfahrtschiff auslaufen und bald dahinter eine Fähre. Ich hatte ein Glas Wein in der Hand und musste mal wieder heimlich ein wenig weinen, vor Glück und Rührung, wegen der vielen fremden Menschen dort mit ihren Sehnsüchten, die winkten, ins Dunkle hinein, auch zu mir.

Ich werde es nie selbstverständlich finden, dass ich auch dort auf der Fähre stehen könnte. Seit ich ohne behördliche

Erlaubnis in die ganze Welt reisen darf, ist mein zerstörerisches Fernweh geheilt. Ich konnte sogar aus Berlin, meiner geliebten anonymen nervösen Heimatstadt, herziehen in dies kleine mecklenburgische Dorf ohne Busverbindung. Denn ich könnte, wenn ich es wollte, alles hinter mir lassen und auf diese Fähre steigen.

Was fällt euch ein zu Mecklenburg-Vorpommern heute im Gegensatz zu früher, frage ich unsern Besuch, denn ich will einen Text darüber schreiben.

Dass jetzt die Spargelzeit kommt und man den Spargel auch bekommt, antwortet der Mann, von dem man auch einen Vortrag erwarten könnte über die geringe Wahlbeteiligung im Allgemeinen und die bekannt hohe Wahlbeteiligung der Rechten und der Linken im Besonderen, die Landflucht der Hausärzte, die Flucht der Jugend zu den Arbeitsstellen und Ausbildungsplätzen Richtung Westen, das Überholen bei durchgezogener Linie vorm Berg (denn gestern kam hier auch keiner entgegen), die glatt geschorenen Hansa-Rostock-Anhänger, die in den Zügen von Polizisten begleitet werden müssen, den Atheismus, die Vorsitzenden der riesigen Agrargenossenschaften, die vorher Vorsitzende der LPG waren, und die Seilschaften allgemein. Nein, er schwärmt vom Spargel, jeden Tag Spargel, schön dick, frisch, in Schinken gewickelt. Und gleich danach die Erdbeeren, wochenlang Spankörbe voll Erdbeeren. Dass er das noch erlebt, das sei eigentlich das Schönste an der Einheit Deutschlands.

Und seine Frau ergänzte, dass sie zu DDR-Zeiten

manchmal doch ein paar Stangen Spargel hatten, weil sie in ihrem Zweifamilienhaus in Rostock über einer Verkaufsstellenleiterin eines Konsums wohnten, die von den raren Spargellieferungen in ihrer Verkaufsstelle, sonst ging ja die gesamte Spargelernte für Devisen in den Westen, einige Stangen für ihre eigene Familie abzweigte und es deshalb im ganzen Haus im Flur bis in die obere Etage nach Spargelwasser duftete. Um nicht Neid hervorzurufen, zweigte die Verkaufsstellenleiterin darum von ihren abgezweigten Spargelstangen ein paar für die darüber liegende Wohnung ab.

Aber nur ganz dünne, sagte der Professor.

Meinem Mann fielen dann noch die extrem dünnen Aale ein, die uns ein Mann auf dem Rastplatz an der Rostocker Autobahn aus seinem kurz aufgeklappten Trabantkofferraum anbot und die wir tatsächlich zu einem Fantasiepreis kauften. Zu Hause war eigentlich nichts zwischen Haut und Gräte, aber der Aalduft!

Dann passte die Geschichte von den Erdbeeren, die ich an unserm Trauungstag am 24. Juni 1976, auf dem Höhepunkt der Erdbeerzeit, zu Haus in Ost-Berlin so gern serviert hätte, aber in der ganzen Markthalle sah ich keine einzige. Schließlich erzählte ich einer Verkäuferin vor all ihren leeren Erdbeerkörben, wir hätten gerade geheiratet, wären schon von der Standesbeamtin ausgeschimpft worden, weil es für uns beide die zweite Ehe sei, das wussten wir ja selber, und wir uns nun aber wirklich den Ernst unserer Lage klar machen müssten, dann stellte sie *Die*

*Moldau* an und würdigte uns weiter keines Blickes, und Ärger im Restaurant hätten wir anschließend bekommen, weil wir uns einfach an einen freien Tisch gesetzt hätten, während sich die Kellner an den unabgeräumten Tischen langweilten und wir eigentlich in einer Schlange vor dem Schild *Sie werden platziert* demütig hätten verharren müssen, ein Kellner aber uns dann verhöhnte: Zu Hause setzen Sie sich wohl auch an einen unabgeräumten Tisch, mein frisch angetrauter Mann schon ärgerlich aufstehen wollte, ich aber dem Kellner von unserer Trauung Mitteilung machte und dass ich allen in der Schlange gesagt hätte, wir wollten uns nicht vordrängeln, eben einfach nur sitzen und Mittag essen, das sollten sie doch auch tun, sie taten es aber nicht, meine aufwieglerischen Reden erbosten den Kellner noch mehr, und er warf uns eine Speisekarte hin. Das gab wohl den Ausschlag, dass die Verkäuferin mir den Erdbeerkorb, den sie für sich selbst zurückbehalten hatte, verkaufte und wir zur Feier unserer Hochzeit abends eingezuckerte Erdbeeren aus Werder hatten.

Mit Ostmenschen kann man viele Stunden in solchen DDR-Spargel-, -Aal-, -Erdbeer-, -Saale-Unstrut-Wein- und -Helden-Geschichten gegenüber Kellnern schwelgen und dann lustvoll in die nahe Zukunft der Spargelsaison schweifen.

Als ich im Jahre 1947 mit sieben Jahren zum ersten Mal allein meine Großmutter in Greifswald, Mecklenburg-Vorpommern, besuchte, kannte ich den Namen Pommern schon, ohne und mit zwei verschiedenen Vorsilben: Vorpommern und Hinterpommern.

Denn mein Opa, der Vater meiner Mutter, war der älteste Sohn und eigentlich der Erbe einer Bauernwirtschaft in Pommern, genauer gesagt in Hinterpommern, in Groß Tychow, zwischen Kolberg, Belgard und Köslin.

Er ging von dort weg, wurde Schulrektor in Berlin und gründete eine Familie mit einem Kind, meiner Mutter. In allen Schulferien seit dem Ersten Weltkrieg fuhr mein Opa mit Frau und Kind in seine Heimat zurück.

Es lag darum nahe, dass meine Mutter mit mir Vierjährigen nach dem Tod ihres Mannes, meines Vaters, mit all ihrem Hab und Gut von Berlin nach Groß Tychow umzog, als sie wegen der Bombenangriffe sowieso aufs weniger gefährliche Land evakuiert werden musste.

Ich kann mich an alles dort erinnern: an die weite Wiese, auf der ich das Gänseliesel war, an den polnischen Knecht, der am Mittagstisch mit uns saß, was mir selbstverständlich schien, aber nicht selbstverständlich war, und der uns alle rechtzeitig warnte, zur Flucht mahnte, an den deutschen Soldaten, der uns rettete. Neben uns auf der Strandpromenade hörten wir das Rattern der Panzer der Roten Armee. Wir hatten die gleiche Richtung, westwärts. Aber sie sahen uns nicht. Meine Mutter schaffte es schließlich zu Fuß mit mir in einem dreirädrigen Kinderwagen zu ihren Schwiegereltern, den Eltern meines toten Vaters, nach Greifswald. Aufgabe erfüllt, hätte sie damals mit dreißig gedacht und brach zusammen, erzählte die Hunderteinsjährige noch bis zu ihrem Tod. Mein ganzes Leben erzählte sie von dieser Flucht.

Bald nach dem Krieg starben meine beiden Großväter, in Greifswald und in Berlin – und mein Kindheitsdorf Groß Tychow in Hinterpommern war polnisch.

Als ich im Jahre 1947 mit sieben Jahren zum ersten Mal allein meine Großmutter in Greifswald besuchte, ich war gerade in die dritte Klasse versetzt und sie eine sechzigjährige Schuldirektorin, die eine Klasse mit Kriegskindern leitete, die den Schulstoff mehrerer Jahrgangsstufen auf einmal durchnehmen und so eher zum Schulabschluss kommen sollten, denn diese überalterten Schüler hatten im Krieg und auf der Flucht so viel Unterricht versäumen müssen, sehnten sich nach eigenem Verdienst, mussten ja ihren verwitweten Müttern den Mann ersetzen und den jüngeren Geschwistern den Vater, aber das ohne Abschlusszeugnis der achten oder zehnten Klasse, als ich also 1947 meine Großmutter in Greifswald besuchte, gehörte die Stadt vorübergehend schon einmal für zwei Jahre zum Land Mecklenburg-Vorpommern:

Seit 1945, dem Ende des Zweiten Weltkriegs. Aber 1947 war erst einmal Schluss mit diesem Doppelnamen:

Denn der Halbname Vorpommern entfiel ab 1947 auf Befehl der Besatzungsmacht, weil Vorpommern zu sehr an Pommern und damit an Hinterpommern erinnerte, und das lag ja nun schon seit zwei Jahren, seit dem Kriegsende, in Polen. So lag Greifswald bis 1952 auf einmal in Mecklenburg.

97

Aber dann war für achtunddreißig Jahre auch mit dem Land Mecklenburg Schluss, denn es wurde in drei Bezirke eingeteilt: In Schwerin, Rostock und Neubrandenburg.

Und Greifswald lag bis zum Ende der DDR im Bezirk Rostock und schon einen Tag später wieder in Mecklenburg-Vorpommern.

Man blieb immer auf Trab: mit den Wahlen, den Autokennzeichen, den umgezogenen und zusammengelegten und auch neuen Behörden.

Wir zum Beispiel in einem winzigen Dorfteil in Schwerin-Nähe müssten eigentlich schon das Autokennzeichen NWM für den Landkreis Nordwestmecklenburg mit der Kreisstadt Grevesmühlen haben. Aber weil unser Auto schon neunundzwanzig Jahre alt ist und wir beim Kauf noch zum Landkreis Schwerin gehörten, den es schon lange nicht mehr gibt, beginnt unser Autokennzeichen mit SN für Schwerin, das es noch gibt, sogar als Landeshauptstadt, wozu wir aber nicht mehr gehören, denn Schwerin hat keinen Landkreis mehr. Wozu wir gehören, erfuhren wir am 1. September 2008, als wir uns in der für uns zuständigen Behörde mit unserm Personalausweis von Berlin ummelden wollten: im Ordnungsamt in Lübstorf, das jetzt mit Lützow zu einer Großgemeinde gehört. Die Beamtin begrüßte uns freundlich als Neubürger (unser Haus haben wir hier seit dreiundvierzig Jahren) und machte wie selbstverständlich beim Punkt Kirchenzugehörigkeit im Computer einen Strich und berichtigte das verwundert, auf meinen Einspruch, denn hier sind die meisten aus der Kirche ausgetreten, wenn sie es nicht schon zu DDR-Zeiten taten, als die gezielte Falschmeldung die Runde machte, nach der Einheit Deutschlands müsse man vom Einkommen zehn Prozent Kirchensteuer zahlen und nicht von den Steuern, wie es zutrifft. (Die Mecklenburgische Landeskirche, zu der wir nun gehörten, sollte sich bald mit der Nordelbischen und Pommerschen zur Nordkirche vereinigen.)

Nachdem die Standesbeamtin uns die berichtigten Personalausweise überreicht hatte, gab sie noch den Tipp, uns für unsere Beerdigung gleich mal den Friedwald in Lübstorf anzusehen:

Nah und romantisch als privater Buchenwald an den Hängen des Schweriner Sees gelegen. Das Café der Schloss-gärtnerei gleich nebenan.

Die richten dort auch sehr schön die Beerdigungsfei-ern aus mit selbst gebackenem Kuchen und Vollwertkost, sagte sie. Die Beerdigungskosten hängen von der Größe der Buche ab, an deren Stamm die biologisch abbaubare Urne mit unserer Asche eingegraben würde.

Wir fuhren hin.

Hier nicht, dachte ich, als wir beklommen in dem dunk-len Buchenwald herumgingen:

Die Buchen haben kleine Besitzschilder in circa drei Metern Höhe. An manchem Baumfuße Blumengebinde.

Aber lange dürfen die da nicht liegen, sagte uns eine Witwe mit ihrer Tochter, es soll doch ordentlich aus-sehen.

Im Café der Schlossgärtnerei haben wir an unserem Einbürgerungstag Rast gemacht.

Der Caféchef erzählte uns später, dass er früher zu DDR-Zeiten etwas Höheres bei der Nationalen Volksarmee war, ich kann mir die Dienstgrade nie merken, und nach der Wende, Wende nannte er das, einen Neuanfang hier startete. Er konnte alle Heilkräuter mit lateinischem Namen und Wirkungsweise auswendig, die im Hof seiner Gärtnerei zum Verkauf standen:

Essbarer Öl-Lavendel, Thymian, das wuchernde Kraut der Unsterblichkeit, das, wie ich zu Hause auf dem Sticker las, Minusgrade bis fünfzehn Grad verträgt.

Der Friedwald und die Ehepaare, die sich einen Baum aussuchen und im Voraus bezahlen, und die Trauergesellschaft, die im Café zusammensitzt, und der Offizier, der bedient und dann das Kraut der Unsterblichkeit gießt, und der Waldbesitzer, der seine lebenden Bäume einzeln verkauft, und wir mit unserm warmen Apfelkuchen.

Saß ich nun in der Falle?

Als ich im Jahre 1947 mit sieben Jahren zum ersten Mal allein meine Großmutter besuchte, war ihr Mann schon zwei Jahre tot: Mein lieber Großvater, der mich in seinem kleinen Handwagen gerettet hatte, ein Physik- und Mathelehrer, der mit seinen Schülern Segelflugzeuge baute und selbst flog, war bei dieser kampflosen Übergabe einer Verwechslung zum Opfer gefallen und nach Fünfeichen gebracht worden:

Er war aber nicht der SS-Führer Dr. Heinz K. aus der

Steinstraße, den die Rote Armee suchte, sondern nur der Lehrer Dr. Karl K. aus der Steinstraße, der nie in der SS war.

Als sie im Lager Fünfeichen den Irrtum endlich bemerkten, schickten sie meinen Großvater zu Fuß nach Haus. Er ging von Neubrandenburg nach Greifswald, da wog er noch vierzig Kilogramm und starb an Typhus mit achtundfünfzig Jahren.

Ich fünfjähriges Kind war in der Greifswalder Wohnung und habe alles gesehen.

Schon zwei Jahre später begann es, dass meine Großmutter mir in den langen Sommerferien alles vom Leben erzählte, alles, was eine Frau wissen muss, denn sie hatte ja nur zwei Söhne großgezogen, die nun tot waren. Ich war ihr erstes Mädchen.

Von klein an durfte ich alles lesen, was in ihrem Bücherschrank stand, Dramen und Erzählungen. Sie hatte kein einziges Kitschbuch. Einmal fand ich ein Buch mit Witzen. Darin las ich in jedem Jahr, zehn lange wunderbare Große Ferien lang, bis zum Abitur mit siebzehn. Mein Lieblingswitz war:

Treffen sich zwei auf der Straße. Sagt der eine, kennst du schon den neusten Witz, wo die Frau sich aus dem Fenster lehnt und schreit: Hilfe, Hilfe! Ich hab meine Schere verschluckt, und ihr Mann am Fenster auftaucht und sagt, ist nicht so schlimm, nimm meine! – Ne, kenn ich nicht, sagt der andere, erzähl mal!

Seitdem liebe ich Doppelpointen.

In Mecklenburg-Vorpommern ist der Humor anders als in Berlin, gutmütiger, schunkeliger, langsamer, nicht so um die Ecke. Das hängt vielleicht mit dem behäbigen Dialekt, dem Plattdeutschen, zusammen. Manche tragen Trachten und singen das Mecklenburg-Lied. Ich will nicht spotten.

Und hier ist ja auch die Waterkant – die Wasserkante.

Die gesamte Nordgrenze von Mecklenburg-Vorpommern besteht aus Wasser, zu DDR-Zeiten bewachtes Grenzgebiet, von kurz vor Lübeck in der Bundesrepublik bis kurz vor Swinemünde in Polen. Für die DDR-Grenzwächter muss das Wasser störend gewesen sein: Sie konnten es nicht verminen wie die Landgrenze zum Westen oder eine Fünf-Kilometer-Zone vor der Ostsee einrichten oder die Bewohner fünf Kilometer vor der Küste vertreiben und umsiedeln, nicht ohne Weiteres die Badenden und Urlauber erschießen, wenn sie am Tag ins Wasser liefen. Aber sobald Menschen im Dunkeln in der Ostsee schwimmen wollten, waren sie potenzielle Flüchtlinge. Vielleicht mit einer versteckten Luftmatratze, mit einem versteckten Schnorchel, einem versteckten kleinen Motor, mit dem sie in die internationale Schifffahrtsroute fliehen wollten, in der Hoffnung, von einem Kapitän an Bord genommen zu werden.

Diese Geschichten von Flüchtlingen, die in der Dunkelheit flohen, sich in der Richtung irrten und wieder auf DDR-Territorium ankamen, erschossen wurden oder jahrelange Zuchthausstrafen verbüßten wegen Republikflucht.

Denn die Ostsee war immer die Verbindung zu den großen Meeren:

Am Horizont sahen wir die tröstlichen Fähren nach Dänemark und Schweden hinter den martialischen Grenzwächterschiffen der DDR.

Diese Fähren am Horizont, wenn wir am Strand standen und auf die Ostsee sahen, waren zu DDR-Zeiten immer der Beweis, dass es die Welt noch gab, die normale zivilisierte Welt des 20. Jahrhunderts.

Diese Fähren nach Dänemark, nach Schweden oder vielleicht nach Finnland waren ein Versprechen, eine Hoffnung, ein Pfand, das wir alle in der Hand hatten und einlösen konnten, als all das zu Ende war.

In vierzig Jahren, dachte ich im August 1961, als in der Nacht in Berlin die Mauer gebaut worden war (wir schliefen im Urlaub in Karlshagen an der Ostsee), wenn ich in Rente bin, darf ich vielleicht doch einmal auf einer solchen Fähre sein. Aus vierzig Jahren wurden achtundzwanzig Jahre, drei Monate minus vier Tage:

So schnell kann es gehen.

Nun darf ich an der Ostseeküste abends, eingewickelt in eine Wolldecke, in einem Strandkorb sitzen, darf, ungestört und ungefragt von Grenzwächtern, in einem kleinen Boot im Hafen der Insel Poel oder der Insel Hiddensee oder vor Vitt bei Kap Arkona auf Rügen schaukeln, nachdem mich die früheren Grenzoffiziere in kleinen Elektrobussen vom obligatorischen Autoparkplatz zum Hafen transportiert haben.

Dass ich das schon dreißig Jahre darf, wird mir nie selbstverständlich werden.

Ich sehe die Grenze auf den Landkarten der Vergangenheit, den verzerrten aus dem Osten mit den weißen Flächen außerhalb der Grenze, da gab es kein Lübeck. Die Landkarten-DDR hörte am Dassower See auf. Und viele, die die Grenze bewachten und auch bereit waren, auf Flüchtlinge zu schießen, wohnen jetzt noch dort, nun in der ganz normalen Bundesrepublik Deutschland, im Land Mecklenburg-Vorpommern, vermieten Ferienwohnungen und verkaufen in ihren Imbissbuden Bockwürste aus Anklam.

Vielleicht befragen uns bald unsere Enkel kritisch, verurteilen unseren Pragmatismus, bringen eine neue gefährliche besserwisserische Utopie hervor. Einstweilen gehen diese jetzt Dreißigjährigen ins Grenzmuseum in Schlagsdorf (an der Ostseite vom Mechower See, auf der Westseite kommen bald Lübeck und Ratzeburg), um sich den Irrsinn ihrer Eltern und Großeltern anzusehen.

Denn immer müssen sich die Jungen in Deutschland den Irrsinn ihrer Eltern und Großeltern in Museen und Gedenkstätten ansehen und sollen daraus für sich etwas lernen, für ihre eigene Urteilskraft, ihre Lebensbewältigung, ihr Verständnis, ihre Toleranz, ihre Wertvorstellungen.

Vielleicht kommen sie ja einmal wieder aus dem Westen zurück, wo sie jetzt arbeiten. Mit ihren Freunden und Freundinnen. Und ihren Kindern. Schon wegen der Ostsee, in die sie einfach so hineinlaufen können, in die salzigen Wellen über dem gewellten lehmigen Meeresboden. Und den kleinen Muscheln.

Sie können so viel Schönheit doch nicht so alleinlassen.

Die Ostsee ist nämlich immer da, sie verlässt dich nicht.

Ganz anders als die mächtige tosende Nordsee mit ihrer Flut.

Und ihrer Ebbe.

# Wintersonnenwende

Die Tage werden wieder länger vom nächsten Tag an.

Die nächste Nacht ist die längste im Jahr:

Die Nacht zum 22. Dezember.

In meiner Schulzeit hatte da auch Väterchen Stalin Geburtstag:

Richtig, 1, setzen, Helga, sagte die Lehrerin im Gegenwartskundeunterricht.

Ich weiß nicht, wie viele Jahre nach Stalins Tod 1953 sein Geburtstag noch im DDR-Schulkalender eingedruckt war.

Aber Winteranfang stand im Kalender, nicht Wintersonnenwende.

Das weiß ich genau.

Eigentlich stört mich an dem Wort Wintersonnenwende das Pathos:

Es ist mein Diktaturschaden.

Mein bleibender Diktaturschaden:

Schon dieses leichte Verharren in einem Wort,

die leichte Erhöhung der Stimmlage,

das leuchtende Gesicht.

Ich ertrage es schwer.

Als ich am Bahnhof Zoo ohne Verzögerung mit abgezähltem Fahrgeld in den Bus stieg, fragte mich ein ganz vorn sitzender Fahrgast: Können Sie noch langsamer?

Und als ich ruhig antwortete: Ja, beendete er dieses Gespräch mit: Dann is ja jut!

Auf dem Teppich bleiben, hier verstehe ich jedes Wort, dachte ich.

Jedes Wort.

# Meine neuen Schuhe

Der 3. Oktober ist für mich ein Feiertag, und zwar von Anfang an:

Vom 3. Oktober 1990 an.

Erst haben wir im Osten Abgeordnete gewählt, und dann haben diese Abgeordneten in der Volkskammer bis in eine Sommernacht im Jahre 1990 hinein debattiert, ich habe bis zum Schluss, bis zur Bekanntgabe des Abstimmungsergebnisses, am Fernsehapparat gesessen und bin dann zufrieden eingeschlafen:

Wir im Osten waren dem Grundgesetz der Bundesrepublik Deutschland beigetreten.

Pragmatisch und nicht pathetisch.

Ich hatte auf einen Beitritt der DDR zu einer unveränderten Verfassung der Bundesrepublik gehofft. Deren Artikel 23 sah es ja vor. Seit 1949 sah dieser Artikel immer die Möglichkeit der Vereinigung vor. Wir im Osten wurden in dieser Verfassung immer mitgedacht. Sonst hätte ja kein Rentner beim Besuch seiner Verwandten im Westen vor dem Mauerfall ohne Weiteres einen bundesdeutschen Pass bekommen und hätte damit nicht in alle Welt reisen können: als Bundesbürger. Und wenn er dann mit seinem inzwischen bei der Westpolizei hinterlegten DDR-Reisepass nach seiner Rentnerreise wieder in die DDR zurückgekommen war, war er der lebende Beweis für diesen Artikel 23, denn er hatte Kinder und Enkel und Freunde und Nachbarn und Kollegen, denen er das erzählen konnte, wenn er es wagte.

Begleitet wurde der 3. Oktober 1990 durch die wütenden Angriffe auf alle Einheitsbefürworter, denn:

Schon der Wunsch zur deutschen Einheit sei revanchistisch, rückwärtsgewandt, reaktionär. Deutschland sei einfach dann zu groß, in Europa zu übermächtig, stelle eine Kriegsgefahr dar. Vor allem, wenn auch das Beitrittsgebiet der DDR zur NATO gehören sollte. Was ist in Sie gefahren, Sie waren bisher doch politisch besonnen, wie können Sie als Intellektuelle die Utopie eines sozialistischen Deutschlands verraten?

Diese moralische Herabsetzung Andersdenkender, die mir aus der DDR vertraut war, begegnete mir auch hier.

Als wir am 3. Oktober 1990 als Bürger vom Ostberliner Bezirk Mitte zur Feier des Tages auf den Alexanderplatz gehen wollten, begegneten wir einem schwarz gekleideten und vermummten (genehmigten) Demonstrationsblock der Anarchisten, die mit Megafonen skandierten: Nie wieder Deutschland, Deutschland verrecke, deutsche Polizisten: Mörder und Faschisten. – Und die Westberliner Polizisten, die von diesem Tag an auch für uns zuständig waren, gingen ruhig daneben und ließen sich nicht provozieren.

Demonstrationsfreiheit, Pressefreiheit, Meinungsfreiheit.

Nun waren wir, ohne umzuziehen, in eine Welt fremder Regeln gekommen.

Einige Regeln kannten wir aus den Bundestagsdebatten, die wir auch im Westfernsehen verfolgen konnten.

In der Nacht vorher, also in der Nacht zum 3. Oktober 1990 von dreiundzwanzig Uhr bis Mitternacht, war ich gemeinsam mit einer anderen DDR-Schriftstellerin und einem DDR-Schriftsteller zu einer Diskussionsrunde mit einem Journalisten vom Süddeutschen Rundfunk in das Pressezentrum der DDR am Hausvogteiplatz eingeladen. Wir sollten schildern, wie es uns geht, wenn unser Staat in den nächsten Minuten untergeht. Und außerdem sollten wir uns jeder ein Musikstück wünschen.

Wir drei waren verschiedener Meinung, sehr verschiedener Meinung: Sie reichte von Enttäuschung, Angst, Relativierung, Erschöpfung bis zur Freude.

Ich sagte, dass ich jetzt das am 13. August 1961 gewaltsam durch den Mauerbau unterbrochene Leben wieder aufnehmen wolle, nach neunundzwanzig Jahren und knapp zwei Monaten, nur jetzt mit dem richtigen Pass und der Rückendeckung einer offenen Gesellschaft mit all ihren für mich ungewohnten Gepflogenheiten, Erwartungen und Schwierigkeiten.

Und als Musik wünschte ich mir den Gospelgesang von Mahalia Jackson, den ich mir kurz vorm Mauerbau im Kurs 1:6 als 45-er Schallplatte in einem Laden am Ku-

damm gekauft hatte: *Walk over God's heaven* mit der Zeile
»I got shoes, you got shoes«, auf Deutsch fand ich es eben
in meinem Smartphone: Der Lauf über Gottes Himmel:
Ich habe Schuhe, du hast Schuhe, alle Kinder Gottes haben
Schuhe, mein Herr, und wenn wir in den Himmel kommen, ziehen wir unsere Schuhe an, wir werden gehen, wir
werden reden, überall im Himmel Gottes.

Das hatte ich mir nie übersetzt in den achtundzwanzig
Jahren. Doch Mahalia hatte mich immer mitgerissen und
froh gemacht.

Ich sagte, dass mein Mann und unsere Freunde zu
Hause auf mich warteten, denn sie feierten schon. Und
dass ich mich sehr glücklich fühle.

Dem freundlichen westdeutschen Journalisten war das
mit Gottes Himmel bestimmt suspekt, darum versuchte
er um Mitternacht, als wir drei nun auch Bundesbürger
waren, meine Freude mit der Bemerkung zu erden, dass
ich mir jetzt bald neue Schuhe kaufen werde.

Aber wer schon seit der Kindheit so selbstverständlich
in der skeptischen Distanz, in der offenen Gesellschaft gelebt hat, kann diese Erlösung nach einer Diktatur sowieso
nur mit dem Kopf verstehen, dachte ich.

Und nahm es ihm nicht weiter übel.

## Meine Heimat

Meine Heimat ist die Prärie, Herr Richter.

Der Angeklagte hatte sich trotz seiner Fahne noch aufrecht halten, die rechte Hand auf sein Herz legen und antworten können.

Ich saß im Zuhörerraum des Köpenicker Gerichts in Ostberlin und nicht etwa in Berlin-Hauptstadt der DDR, wie wir in der Schule sagen sollten, war siebzehn, kurz vor dem Abitur. Ich ging in die Oberschule Köpenick und wohnte in Karlshorst, bei meiner Mutter, die den ganzen Tag, auch am Sonnabend, im Stadtbezirk Mitte in Ostberlin arbeitete. Meine Oma, die Mutter meiner Mutter, die bei uns gelebt hatte und immer da gewesen war, wenn ich von der Schule nach Hause kam, war wenige Monate vorher zu Hause vor meinen Augen gestorben. Nun ging ich jeden Tag auf einem Umweg in die einsame Wohnung. Meine Heimat?

Ich war zwar erst siebzehn, besuchte aber wegen der Arbeitsplatzwechsel meiner Mutter schon die siebente Schule und konnte meine schätzungsweise 210 Mitschüler nicht mehr auseinanderhalten. Dazu kamen dann noch die

420 aus den Parallelklassen. Auf den Klassentreffen später zeigten sie mir ihre Klassenfotos, auf denen ich auch zu sehen war, mit Zöpfen und Karokleid oder Pferdeschwanz und Rock, sie wussten alles über mich und die andern auf den Klassenfotos, die zum Beispiel hat zwei Kinder von einem Prager Studenten aus Afrika bekommen, der da verheiratet war, in Prag oder Afrika, und als sie das erfuhr, bekam sie einen Waschzwang: Immer, wenn sie alles gewaschen hatte und sie keine schmutzige Wäsche mehr fand, wusch sie die saubere wieder; sie fand dann den in der zweiten Reihe, der sich im Jurastudium aufhängte, sie hat ihn auf seinem Dachboden gefunden, aber nichts mit dem gehabt; der da wiederum durfte nie zu Klassentreffen kommen, weil er was ganz Geheimes war in der Auslandsspionage, das durften wir aber alle nicht wissen, nicht einmal seinen Namen, und das war unser Neulehrer, der uns drei, weißt du noch, in der Theatergruppe das Du anbot, das sollten wir aber für uns behalten, er kam gerade aus der amerikanischen Gefangenschaft, trug eine Militärwindjacke und bekam dann nach der Wende das Bundesverdienstkreuz wegen des Heimatmuseums, das er sofort nach der Einheit aufbaute, er hatte immer so lässig Okay gesagt und uns von der Prärie erzählt, als wir sieben waren.

Dann weisen meine 630 Mitschüler auf sich mit ihrem Seitenscheitel damals und ihrem gebügelten Hemd oder ihrem Faschingskostüm mit Chinesenhut, und ich stehe als Zwölfjährige verrucht daneben mit Schuhcreme-Wimpern. Sie wohnen immer noch da in ihrer Heimat, in ihrem Elternhaus. Oder nicht weit weg.

Du hast ja kein Elternhaus, du kannst ja in dem Sinne gar kein Heimatgefühl haben, sagen sie zu mir.

Und dann müssen wir uns wieder so hinstellen wie damals und werden wieder fotografiert, mit Lücken für die Fehlenden. Ich war immer die Neue: Als ich mit sechs zu Hause von meinem Opa Lesen und Schreiben gelernt hatte, vor der Einschulung, im Januar 1946 – er war gerade als Lehrer mit seinen Schülern und meiner Oma aus dem Sudetengau geflohen vor den Tschechen, die vergeblich versucht hatten, meiner Oma ihre Brillant-Rubin-Ohrringe aus den Ohren zu reißen, sie waren zu fest eingewachsen.

Die hatte sie aus ihrer Heimat, dem Elsass.

Und als ihre Wohnung in Berlin-Karlshorst von den Russen inzwischen beschlagnahmt war im Sperrgebiet, brachten sie mich aus ihrer Untermiet-Dachkammer, die ihnen zugewiesen war und in der auch noch meine Mutter mit mir einzog, in Berlin-Karlshorst in die Schule. Diese erste erste Klasse nach dem Krieg gab es da schon vier Monate. Alle hatten bereits eine Freundin. Und als das andere Flüchtlingskind, Eva, ich glaube, sie hatte eine Adoptivmutter, mir in einer der ersten Pausen aus Absicht einen Knopf von meinem Kleid riss, mit festem Blick trotz meiner Warnung, einen roten Knopf mit einem goldenen V, ein Stück Stoff hing noch an diesem Knopf von meinem einzigen Kleid, stand ich schweigend auf. Ich packte Evas kurze weißblonde Zöpfe, oben hatte sie einen Hahnenkamm, und schleuderte sie schweigend im Kreis um mich. Ein roter Knopf mit einem goldenen V kann für ein Kind eine Heimat sein, wenn es gerade die Flucht aus Hinterpommern überlebt hat. Ihr Skalp hielt.

Und wo arbeiten Sie?, fragte der Richter den wegen einer Wirtshausschlägerei Angeklagten.

Ich arbeite bei 200 Grad, direkt am Hochofen, Herr Richter, war die Antwort.

Ich habe diesen Mann nur zwanzig Minuten in der Gerichtsverhandlung gesehen, vor über fünfzig Jahren.

\*\*\*

Immer, wenn wir umgezogen waren und ich am ersten Tag mit der neuen Klassenlehrerin in die fremde Klasse kam und sie mich alle auf einmal so ansahen, wusste ich: Auf ein oder zwei von denen wirst du dich verlassen können. Bis heute: Ich habe die zwei schon gern, wenn ich fremd in der Tür stehe.

Aus der Dienstwohnung meiner Mutter auf dem Gelände der Verwaltungsakademie Forst Zinna ging ich morgens zum Schulbus. Wir Schulkinder wurden aus dem eingezäunten Gelände zur nächstgelegenen Zentralschule nach Kloster Zinna gefahren, auf diese Weise markiert als die Kinder von denen da, den Fremden hinterm Zaun. Am liebsten hätte ich zu meiner neuen Klasse gesagt, habt keine Angst vor mir, denn meine Mutter ist nicht in der Partei wie die Eltern der andern aus der Verwaltungsakademie. Aber dann wäre ich erst recht verdächtig gewesen, so, als ob ich mich in ihr Vertrauen einschleichen wollte. So musste ich sehnsüchtig auf das Vertrauen der andern warten. Einmal wollte ich den Weg nach Haus zu Fuß gehen, nur um nicht mit den andern Buskindern zusammenzusitzen und anzuhören, wie sie am liebsten Adenauer aufhängen wollten. Stalinzeit. Aber der Weg war weit und führte durch den Wald. Ich fuhr mit ihnen als Fremde.

Bei meiner Tante in Wilmersdorf bekam ich als Zehnjährige immer ein Stück Apfelkuchen und ein Schälchen frische Schlagsahne vom Bäcker zur Belohnung, dass ich zu den vielen Leuten auf ihrem großen Zettel die Pfundpäckchen gebracht hatte, vorher von ihr abgewogen aus einem Zentner-Jutesack gerösteter Kaffeebohnen. Schmuggelware sicher, wer hat sonst einen Zentner Kaffeebohnen im Schlafzimmer stehen. Ich erinnere mich nicht, ob ich auch nur ein Pfundpäckchen mit in den Osten bekam für meine Oma und meine Mutter, ich erinnere mich nicht, ob ich ihnen von dem Schmuggel überhaupt erzählte. Wenn ich an meine Patchwork-Heimat denke, dann gehören Kaffeeduft, Apfelkuchen und Schlagsahne dazu, richtige Schlagsahne mit einem Muster.

Ich habe so viele Ursprünge, meine Wurzeln schleppe ich als Drachenschwanz verborgen immer mit mir: Im Krieg in Westberlin, als es noch nicht das besondere Westberlin war, geboren, im Seitenflügel in der Großbeerenstraße, im Hochparterre, in Kreuzberg in der Wohnung meiner Eltern, aber mein Vater war schon weg, als Soldat im Krieg, und bald war er tot. Mein Herkunftsland gehörte mir lange nicht mehr, jetzt habe ich es wieder und darf es ohne Visum mit dem Fahrrad besuchen. Ich werde dieses Glück nie mehr selbstverständlich finden, zu unverhofft kam es. Einmal, mit sechzig, klingelte ich an der Wohnung, in der ich geboren wurde, zum ersten Mal in meinem Leben, und ein Mann in kurzen Hosen, der noch von der Dusche dampfte, öffnete mir, ohne die vorgelegte Kette, war ja eigentlich unvorsichtig von ihm in der Gegend, hatte aber keine Zeit, war freundlich, ein andermal, ja? Ich hab mich dann in eine türkische Gaststätte gesetzt an der Straßenecke, die Stühle auf dem Bürgersteig, und die Straßenflucht betrachtet. Eine Fremde war ich und darf dort immer wieder sitzen. Das reicht mir. Als ich einmal mit H. am Bahnhof Grunewald bei einem Platzregen mit einer Weißen mit Schuss, er mit Waldmeister und ich mit Himbeere, aus der Gaststätte Floh heraus die Autos mit einer Bugwelle an uns vorbeifahren sah, und die Passanten sich mit hohen Sprüngen durchs Wasser zu uns retteten, da, glaube ich, war ich am richtigen Ort.

Ihre Heimat scheint mir eine schwere Last zu sein für manche, sie kommen nicht los von ihr, wenn sie alt sind, wollen sie in ihrer Heimaterde begraben werden. Da sind ihre Wurzeln, sagen sie. Aus dem Haus des Urgroßvaters im sächsischen Vogtland konnte der Urenkel damals die Kirche sehn, mit dem Friedhof — und nun wohnt er selbst da, kurz vor der Rente, aber es stehen drei Tannen in der

Sicht, wer konnte ahnen, dass sie einmal so groß werden, als er sie anpflanzen ließ.

Sie müssen fallen wegen der Heimat, für den Blick aufs eigene Grab.

Ich bin im Osten groß geworden, das ist aber nicht meine Heimat, ein geschundenes Wort, viele hatten eine Heimat, von der sie traurig sprachen, manche in Ostpreußen oder in Schlesien, und waren Geflohene, Vertriebene, aber so durften sie sich im Osten nicht nennen, ich hatte Mitleid mit ihnen und ihrer Heimatbeschwernis, sah ihre Schwarz-Weiß-Fotos aus Stettin, von ihren Höfen aus Schlesien, erinnerte ja selbst die Flucht über Kolberg und Wollin und Swinemünde mit meiner Mutter im Treck, aber aus einer Heimat war ich da nicht vertrieben worden, bei den Verwandten in Hinterpommern waren wir die evakuierten Verwandten aus Berlin, eine Last auf der Flucht aus ihrer Heimat, aus IHRER Heimat, wir nahmen den Platz weg für Bettwäsche und Porzellan. Meine Mutter war mit mir im Osten Berlins geblieben nach der Flucht, zufällig, als Witwe bei ihren Eltern, ging nie zurück in die Kreuzberger Ehewohnung, blieb im Osten.

Aber sie hat jeden Tag mit mir die verbotenen Nachrichten im RIAS gehört und sie mir erklärt, so klein ich war, den Rundfunk im amerikanischen Sektor, der alles ganz anders meldete, als wir es in der Schule lernten. Ich habe die Regeln des Ostens begriffen und sie beachtet. Im Strafgesetzbuch las ich wie in einem Märchenbuch die Strafen für alles Verbotene. Aber zu Hause lebte ich im

Westen, mit Ironie und Jazz und den Schlagern der Woche erholte ich mich vom Pathos draußen.

Wo ich lebig bin, antwortete Marianne, die Ärztin, da ist meine Heimat. Lebig heißt: am Leben. Das hat sie von den alten Bäuerinnen hier in Mecklenburg gehört.

Und wenn dein Mann einen Ruf nach Südafrika bekommt?

Dann ziehen wir da hin. Die Kinder sind doch erwachsen.

Die Wirtin im mecklenburgischen Nachbardorf starb, so wie sie es wollte, in dem Bett, in dem sie geboren wurde. Sogar im selben Zimmer. Dazwischen gab es zwei Kriege, und als die Amerikaner nach dem Krieg für ein paar Stunden als Sieger das Dorf besetzten, sägten sie als Andenken den Reichsadler von ihrer Wanduhr in der Gaststube. Nun fehlte in ihren letzten siebenundfünfzig Lebensjahren etwas an ihrer Heimat.

Seit fünfundvierzig Jahren lebe ich auch hier, erst im Urlaub, dann einige Wochen, dann viele Monate im Jahr. Nun ganz und gar. Mehr als die Hälfte meines Lebens.

Hier könnte meine Heimat werden, denn ich habe unser Haus abbrennen sehen, war dabei, als es danach vollständig abgerissen und ein neues gebaut wurde.

Denn ein ganz anderes Haus haben wir auf einem neuen Fundament an derselben Stelle errichtet, und nun steht es so selbstverständlich eingeduckt unter den Bäumen da, dass sich kürzlich sogar ein Reh wiederkäuend im Garten vor einem Busch niederließ und uns zusah.

In unserem Hauptdorf gibt es einen Heimatverein. Auch wenn jemand hier nicht geboren wurde und nur durch Heirat hergekommen ist, darf er in diesen Verein. Beim Dorffest tanzen sie den Kegeltanz in Trachten, die sie sich schneidern ließen, auch Häubchen gehören dazu, und wenn die Männer nicht reichen, dann muss eine Frau als Mann verkleidet mit Kniehosen einspringen.

Mir haben sie vor ein paar Jahren ein Aufnahmeformular überreicht.

Ich weiß nicht.

Denn meine Heimat ist die Prärie.

# Alles gut

Vor ein paar Monaten hatte eine unserer älteren Pflegeschwestern angekündigt: Ich werde eine neue Kollegin mitbringen. Damit ich ihr alles zeigen kann. Hoffentlich bleibt sie bei uns, denn in der vorigen Stelle war sie nur ganz kurz.

Obwohl die Schwestern den Zahlencode kennen, mit dem sie den Tresor für den Hausschlüssel öffnen könnten, sind sie von Anfang an, seit Jahren bei uns, daran gewöhnt, eine offene Haustür vorzufinden, hochgezogene Rollläden, in den letzten drei Wochen des Jahres einen leuchtenden Adventsstern am Fenster. Sie sind gewöhnt, dass es nach Kaffee duftet, wenn ich sie an der Haustür begrüße, und wie in einer Bäckerei, nach getoastetem Schwarzbrot, wenn sie sich die blauen Plastikfüßlinge über ihre Straßenschuhe ziehen, dass auf dem Rollstuhl an H.s Bett frische Wäsche liegt. Sie sind daran gewöhnt, dass ich da bin. Sie sagen, die Frisur macht Sie jünger oder Sie sehen erschöpft aus oder das Kleid steht Ihnen oder solch ein Badekleid hatte ich auch einmal, aber meine Mutter hat es in den Trockner getan, und nun ist es hin.

Es sind acht mögliche Schwestern, die morgens kommen und ihm beim Aufstehen, Waschen und Anziehen helfen. Sie nennen ihn ihren Klienten. Wir wissen vorher nie, welche kommen wird.

Wenn wir manchmal schon am Frühstückstisch sitzen und das Haustürklingeln hören, dann das Haustüröffnen, ihre Straßenschuhe im Vorflur, dann fragt er mich:

Wer kommt denn heute?

Und ich erkenne beim Blick von meinem Frühstücksplatz um die Ecke durch die Glastür die Frisur der Schwester, die sich gerade bückt, um ihre Füßlinge überzustülpen und antworte ihm.

Dann behält er den Namen, bis die Schwester an unseren Frühstückstisch tritt, begrüßt sie freundlich und fragt mich, wenn sie schon ins Bad vorausgegangen ist, aber ihn dennoch mit seiner leisen Frage hört:

War die schon mal da?

Nun also die Neue. Sie ist noch in der Probezeit, sagte sie und: Ich bin nicht so eine, als ich ihr einen Rooibusch-Tee anbot für eine kurze Pause, denn sie hat nur wenige Minuten für ihre Arbeit hier und muss das alles noch in die Dokumentation eintragen.

Ich fragte sie gleich bei ihrem ersten Einsatz nach den großen Tattoos auf ihren Waden, und sie antwortete, dass das Landschaftstattoos sind und dass sie für ihre beiden Kinder stehen.

Bei einer weltberühmten Brachial-Rockband ist sie schon einmal backstage dabei gewesen, erzählte sie, und ich erwiderte, dass deren Texter und Frontmann beim Dorffest vor Jahrzehnten im schwarzen Ganzkörper-Neoprenanzug einmal vor mir in der Schlange am Kartoffelsalat stand und als er dran war, sich höflich umdrehte, mich fragte, ob er mir auch etwas auftun dürfe, und auf meine Frage, ob wir uns kennen, ebenso sanft seinen Vornamen nannte, ich ihn erstaunt erkannte und ihm meine beiden Teller reichte.

Da sagte sie plötzlich:

Ich habe zuletzt im Hospiz gearbeitet, ich wollte unbedingt dort arbeiten, aber ich musste aufhören. Ich hatte mich mit einer Sechzehnjährigen viel unterhalten, sie hat mir so viel anvertraut. Und dann ist sie gestorben. Ich habe einfach nicht aufhören können zu weinen. Auch am nächsten Tag. Eigentlich waren sie alle zufrieden mit mir gewesen, aber die Leiterin riet mir, woanders zu arbeiten, nicht bei ihnen, wo an jedem Tag ein Mensch stirbt, manchmal schon am ersten Tag. Und hier passiert es ja nicht jeden Tag. Sie sah uns ruhig an, meinen Mann und mich.

Wenn ich jemand ins Herz geschlossen hab, sagte sie, dann muss ich erst lernen, ihn zu verlieren, das zu überwinden.

Seit diesem Tag bei uns sagt sie öfter zu mir: Alles gut.

So wie viele junge Frauen hier in Mecklenburg solche alten Frauen wie mich beruhigen, wenn sie an der Kasse nach ihrem Portemonnaie suchen.

Sie fällt jetzt eine Weile aus, sagte ihre ältere Kollegin eines Morgens, denn sie ist im Mutterschaftsurlaub. Aber sie kommt wieder.

Alles gut.

# Warum schreiben

Ich liebe den Altweibersommer.

Endlich Altweibersommer.

Vielleicht wird er bald nicht mehr so heißen.

Mein Altweibersommer ist sanft zu meiner Haut, feuchte Luft nach den unerträglich heißen Hochsommertagen.

Heute Morgen, als ich die Haustür öffnete und die Zeitung aus dem Briefkasten nahm, atmete ich seinen Duft ein: nach gegorenen Pflaumen im Gras.

Ich bin zwar schon ein altes Weib, hab ihn aber schon als junges Weib immer ersehnt und geliebt. Er ist heiter, nicht schwer, er ist noch nicht dunkel am Abend, er ist noch nicht kalt, wenn wir abends auf die Straße gehen. Nicht nur die Pflaumen, auch die Birnen gären am Weg.

Ich kann endlich ausatmen.

Es ist wie beim Schreiben. Die Arbeit dort draußen ist nämlich getan.

Das Sammeln von Schicksalen, von Sätzen.

Aber was mag einen Menschen veranlassen, sich nun von seinem Freund, seiner Partnerin, seinem Mann, seiner Mutter, seinen Geschwistern, seiner Frau, seinen Kindern, seinem Vater, seinen Kollegen so zurückzuziehen, so stark allen Versuchungen der Welt zu widerstehen, dass er schließlich alle Antennen, die in die äußere Welt ragen, einziehen kann, ruhig wird und nun darauf vertraut, dass sich in ihm etwas Wichtiges zu einer Geschichte verdichtet?

Woher kommt der Mut, diese schmale, wankende Brücke zu den Menschen, die am andern Ufer lärmen, zu bauen, diese Brücke ohne Geländer zu betreten und hoch über dem Abgrund zu balancieren, ganz allein?

Die Geschichte sollte doch Ordnung in die Welt bringen? In Wirklichkeit gibt es doch nie die klare Trennung von Anfang und Ende?

Aber die erzählte Geschichte hat einen letzten Satz, vielleicht sogar eine Pointe oder eine unvermutete Wendung oder ein sanftes Ausschwingen, hat eine Überschrift, ein Thema, eine Variation, einen ersten Satz.

Die Geschichte hat etwas herausgehoben aus dem Lebensfluss, das ich nun betrachten kann, mit Freundlichkeit oder Trauer, mit Bewunderung oder Abscheu.

Ein Mensch hat sich entschieden, aus der schützenden unverbindlichen Verschlossenheit herauszutreten – und das ist ein Schritt, der das ganze Leben ändert, – ich war zwanzig, als ich es wagte – und in aller Form, ja, in der von ihm gewählten Form, einen Teil seines Lebens, das, was er gesehen und gehört hat, fremden, vielleicht höhnischen oder kalten Menschen anzuvertrauen, zu zeigen, ja, eigentlich ist es ein Geschenk.

Was hier ist, ist überall, was nicht hier ist, ist nirgends, soll Buddha gelehrt haben. Dieser Satz macht auch beim Schreiben Hoffnung, denn wenn er stimmt, ist nichts unwichtig, wenn ich es nur genau genug betrachte. Im kleinsten könnte ich die Gesetze des Lebens erkennen und die Lebensläufe und die Konflikte auch für Menschen weit entfernt zur gleichen Zeit oder in Jahrhunderten vergleichbar machen, verständlich.

Aber dazu gehören das Hinsehen und das Erschrecken, dass in der Welt der Menschen nichts einfach gut oder böse ist, dass jeder, auch die, die schreibt, gut und böse ist, erschöpft und wach, verzeihend und nachtragend, hasserfüllt und liebend, verletzend und verwundbar.

Geschichten als Mikroskop. Geschichten als Spiegel. Die guten Geschichten sind wie das Leben tragikomisch, plötzlich reißt mich die Geschichte aus dem Mitleid in die Ironie, aus der Ironie in die Verachtung, aus der Verachtung ins Verständnis. Und alles in dem Moment, in dem ich mich auf eine Sicht eingelassen hatte.

Nichts ist klar so oder so, erfahre ich beim Schreiben oder spätestens beim Lesen.

# Eine Wahlverwandtschaft

Meine Mutter hatte ihre liebe Großmutter, die Bauersfrau in Hinterpommern, die nie in Öl gemalt wurde, im Auktionshaus auf dem Bild eines alten Malers entdeckt und wollte sie am liebsten auf der Stelle nach Haus tragen.

Wenn sie das Geld dafür gehabt hätte, wenn die Ostrenten höher gewesen wären, aber sie hatte ja eine hohe Rente, doppelt so hoch wie die meisten Frauen im Osten, wenn sie wenigstens hundert Euro angespart hätte, dann hätten sie das als Anzahlung nehmen können, wenn sie mit ihrer EC-Karte hätte bezahlen dürfen, wäre es auch gegangen.

Aber im Auktionshaus wollten sie Bargeld.

Bei dem geschnitzten Stuhl aus einem Schloss hatte meine Mutter die Leute vom Auktionshaus noch überreden können, ihr den nach einer Anzahlung mit ihrer EC-Karte nach Haus zu liefern.

Jetzt für dieses wertvolle Ölbild wollte das Auktionshaus Bargeld sehen und nichts vom Überziehungskredit meiner Mutter hören.

Die Zeichnung, die meinen Vater, ihren späteren Ehemann, zeigt, als er im Jahre 1936 mit dreiundzwanzig Jahren schon einen Schmiss am Mundwinkel hatte, nach den Gefechten in der schlagenden Verbindung hatten sie ja extra einen Zwirnsfaden in die Wunde gelegt, damit man sie wieder aufreißen konnte und sie nicht so schnell heilt, die Zeichnung, die sie ihrer Tochter zum Andenken an ihn gab, denn die war ja erst ein Jahr alt, als er fiel (als er fiel, so hat sie es immer gesagt), hängte die Tochter in einen Holzrahmen.

In einen Holzrahmen!, sagte seine Witwe. Wo es doch ein silberner für ihn hätte sein müssen.

Seine Tochter, ihr einziges Kind, hätte, wenn es nach ihr gegangen wäre, ein Sohn werden sollen, ein Mann wie ihr Mann. Sie mutierte aber zu ihrem Erschrecken zu seiner Mutter, ihrer Schwiegermutter.

Auch, als die schon lange tot war, verglich meine Mutter die beiden Frauen:

Als ob Tote auferstehen könnten, sagte meine Mutter zu ihrer Tochter, immer wieder unheimlich berührt.

Der zweite Schwiegersohn meiner Mutter war ihr ein guter Vater.

Und ein guter Sohn: Er hielt manchmal den Telefonhörer in unseren Garten hinaus, wählte ihre Telefonnummer und sagte:

Dein Buchfink war wieder da.

Wenn ihre Tochter nur so gewesen wäre wie er.

Um die Ehe ihres ersten Schwiegersohns kämpfte sie vor Gericht, als ihre Tochter sich scheiden lassen wollte.

Er solle ihrer Tochter nicht glauben, schrieb meine Mutter dem Richter, die wollte nur die kleine Familie meiner Mutter zerstören.

In Wirklichkeit wäre die glücklich verheiratet.

Der Richter hatte in seinem gesamten Berufsleben einen solchen Brief noch nicht bekommen und bestellte die Tochter meiner Mutter in seine Sprechstunde.

Aber ohne diesen ersten Schwiegersohn hätte es den Enkel meiner Mutter nicht gegeben.

Ihr einziger Enkel, der meiner Mutter ein guter Vater war. Und auch ihr guter Sohn. Wenn auch von ihrer Tochter.

Ihre Urenkelin war keine Urenkelin: Sie war ihre beste Freundin.

Die drei anderen Urenkel waren eigentlich nur drei von vier.

Das Grab ihrer Eltern, in dem die zwar nicht liegen, in das meine Mutter mit ihrer Urne aber noch passen wollte.

Der Pastor, der bei ihrer für die ferne Zukunft, denn sie wollte hundert werden, geplanten Beerdigung das Paul-Gerhardt-Lied *Geh aus mein Herz und suche Freud* singen lassen, aber dann nicht weiter von Gott reden sollte, denn an den glaubte sie nicht.

Nach dem Tod ist alles aus, davon war meine Mutter fest überzeugt.

Einmal gut gelebt gedenkt ein ewig und Eine jut jebratne Jans ist eine jute Jabe Jottes. Das haben sie in Hinterpommern bei ihren Großeltern gesagt und gebetet: Lieber Gott, soll das ein Schnitzel sein.

So weit ging sie mit: Wenn man Gott mit Humor nimmt.

Mein Vater, ihr um ein Jahr und zwei Monate älterer Ehemann, der inzwischen siebzig Jahre jünger war als sie, dessen Name auf dem Grabstein ihrer Eltern und auch ihrer Schwiegereltern steht, dessen Knochen aber im vergangenen Jahr, wie sie von der Kriegsgräberfürsorge erfuhr, auf einen Haufen mit Knochen anderer deutscher Soldaten geworfen wurden.

Es war kein Platz mehr für ihn auf dem Friedhof vor Moskau.

Die Partei, der meine Mutter angehörte von 1938 bis 1945, weil ihr Ehemann und ihr Schwiegervater es gerne sahen, der sie, wie sie mir nach dem Krieg sagte, am liebsten nicht angehört hätte, und die Partei, der sie gern angehört hätte seit 1945, so wie ihr Vater schon vor 1933, und der sie nun angehörte seit 1990.

Da hatte sie eben fünfundvierzig Jahre auf die Einheit Deutschlands warten müssen, um in der richtigen Partei zu sein.

Ihr leiblicher Vater schlug meine Mutter. Sie fürchtete ihn, der abends trank, streng und unzufrieden mit ihr war, der aber in dieser richtigen Partei war bis 1933, dafür büßen musste, nicht mehr Schulrektor sein durfte und den sie dafür lebenslang achtete.

Ihre Mutter, die sie nicht schützte vor seinen Schlägen.

Geld, das meine Mutter eigentlich genügend hätte haben können.

Aber es blieb einfach nicht bei ihr.

Mit vierundneunzig Jahren schloss sie einen Bausparvertrag ab.

Damit meine Tochter nicht dauernd toddert, ich solle ein wenig für meine Beerdigung zurücklegen, sagte sie der Bankfrau zur Begründung.

Dann kann meine Tochter diesen Bausparvertrag als Anzahlung verwenden. Und für die Wohnungsauflösung gibt es ja genug Telefonnummern in den Postwurfsendungen, jedenfalls für alles, was meine Urenkelin nicht will.

Der große Seidenteppich aus dem Katalog des Versandhauses, den meine Mutter kaufen würde, wenn er mehr Knoten hätte, wenn es den auf Abzahlung gäbe, wenn nicht noch anderes abzuzahlen wäre: Bettwäsche und Oberhemden und Schmuck und Miete für die Ferienwohnung und ein Lexikon und Münzen für die Urenkelin Milli.

Die Urgroßmutter, die die Mutter der eigenen Urenkelin sein wollte.

Ihre Tochter, die von meiner Mutter nicht vergiftet wurde, wie es der Schwiegervater 1945 vorschlug, das wäre dann so ein Goebbels-Kind gewesen.

Ihre Tochter, die von meiner Mutter geschlagen wurde, manchmal einfach, weil sie da war oder hustete oder abends im Bett weinte als kleines Kind. Meiner Mutter schien es, dass dieses Kind unzufrieden mit ihr war.

Am liebsten wollte meine Mutter einmal im Sommer nach Finnland fliegen. Als sie nach den drei Wochen Kurzzeitpflege wieder zurück in ihrer Wohnung war. So viel Zeit blieb ihr ja im Leben nun auch nicht mehr, sagte sie.

Sie war in vielen andern Ländern noch nicht.

Aber in Finnland eben auch noch nicht.

Also im Sommer nicht nach Hiddensee wie in den letzten fünfzig Jahren.

Mit ihrer schönen jungen Milli wollte sie nach Finnland fliegen. Die sah ihr so ähnlich, so als ob sie sich selbst im Spiegel als junge Frau sah, hatte auch diese pommersche Blondheit und Gesundheit wie sie früher.

Alle hielten Milli nur für ihre Enkelin. Aber sie war ihr viel mehr, sie war ihr die beste, die einzige Freundin.

Gleichaltrige interessierten meine Mutter nicht:

Einmal fuhr sie zur Beerdigung eines Mannes, der sie schon 1944 heiraten wollte.

Damals war sie drei Jahre Kriegerwitwe mit ihrer kleinen Tochter, nun Halbwaise, er hätte meine Mutter also mit Kind geheiratet.

Wo er so viel Auswahl gehabt hätte bei dem Frauenüberschuss im Krieg.

Aber was sollte sie mit einem Mann, der sechs Jahre jünger war? Zusehen, wie er ihr später einmal wegläuft?

Er heiratete nach ihrem Nein eine reiche Bauerntochter aus dem hinterpommerschen Dorf, in das meine Mutter aus Berlin evakuiert war.

Und fünfzig Jahre später, nach dem Tod seiner Frau, natürlich erst nach Ablauf des Trauerjahres, kam er extra von außerhalb mit seiner Tochter, die nun auch schon ein halbes Jahrhundert alt war, um noch einmal um die Hand meiner Mutter anzuhalten.

Er hatte sie also über ein halbes Jahrhundert im Auge behalten.

Seiner Tochter wäre es ganz lieb gewesen, das merkte meine Mutter, dass sich jemand um ihren alten Vater kümmert und ihm die Wirtschaft führt.

Aber das war nun überhaupt nicht das Lebensziel meiner Mutter. Lieber wollte sie doch Preußens Schlösser und Gärten auf Exkursionen kennenlernen, ein Benefizkonzert hören, mit ihrem weißen Hut auf dem Kopf wie Königin Victoria, im Cecilienhof Kaffee trinken oder nach Marienbad zur Kur fahren. Übrigens mit einem Taxi, Berlin–Marienbad hin und zurück in einem weißen Mercedes. Wenn sie sich das Taxi mit ihrer Bekannten teilte, brauchte jede nur 1000 D-Mark zu bezahlen. Sie bestellten immer einen weißen Mercedes, und auf der Hälfte der Strecke luden sie den Taxifahrer zum Mittagessen ein.

Vornehm geht die Welt zugrunde, war immer der Wahlspruch meiner Mutter.

Zur Beerdigung entfernt auf dem Lande, hatte die Tochter des alten Verehrers sie eingeladen. Und meine Mutter nahm die Einladung an, sie ließ sich von ihrem Enkel mit seinem Auto dorthin fahren. So konnte er alle aus dem Dorf in Hinterpommern mal kennenlernen, die sich nun bei der Beerdigung trafen und von weit her kamen.

Früher hatte einer von ihnen hin und wieder eine Busreise in dieses Dorf organisiert, aber nun hatte er damit aufgehört, zu alt. Und es war auch alles so fremd geworden.

Für ihren Enkel war es ja schließlich eine familiäre Wurzel, denn ihr Vater stammte auch von da, sein Urgroßvater, eine Wurzel ihres Enkels in Hinterpommern. Dafür konnte er schon mal einen Sonnabend verwenden.

Ein Opfer wird es ja wohl hoffentlich nicht für dich sein, sagte meine Mutter zu ihm.

Das Familienbild, ernst und schwerblütig die Gesichter, zeigt den Vater meiner Mutter als ältesten Sohn einer Bauernfamilie ganz gerade stehend, mit der Hand im Rockaufschlag, hinter seinen sitzenden Eltern, der entspannten Mutter, und neben seinen fünf Geschwistern. Nur der Jüngste, der im bald ausbrechenden Ersten Weltkrieg sterben wird, lächelt. Die beiden Schwestern werden unverheiratet bleiben. Sie sind ins Korsett geschnürt wie ihre Mutter.

Der Vater meiner Mutter war der Einzige auf dem Bild, der einen Ausbruch wagte aus dieser Enge:

Er wollte den Hof nicht erben, sondern ging auf das Lehrerseminar in die nahe Kreisstadt. Dort fiel er, schon in Seminaristen-Uniform, einer in seinen Augen wunderschönen schwarzhaarigen, blauäugigen Elsässerin auf, die dort oben im trüben Norden als jüngste Tochter ihrem verwitweten Vater, einem alten Soldaten, mit gemeinsamen Spaziergängen und Plaudereien den Lebensabend verschönern sollte, weil sie noch nicht verheiratet war. Voller Sehnsucht dachte sie an ihren Bruder, der es als Oberst bis nach Berlin gebracht hatte:

Wenn sie doch nur nach Berlin käme.

Vielleicht war dieser hellblonde vitale Mann die Brücke zu ihrem Bruder? Sie wurde die Mutter meiner Mutter.

Und der Vater meiner Mutter hielt sein Versprechen, schaffte es tatsächlich nach Berlin und wurde dort Schulrektor.

Fortan führte er zwei unvereinbare Leben:

Im Beruf als der respektierte Lehrer und Abgeordnete der SPD, zu Hause als der Ehemann der zarten, kränkelnden Frau, die nicht noch einmal schwanger werden mochte.

Und er schlug seine hellblonde stämmige Tochter, meine Mutter, die so bockig und eigensinnig war wie seine Schwestern aus dem Heimatdorf, die so viel las und stundenlang Chopin und Schubert spielte, die Mathematik einfach nicht verstand, sein Lieblingsfach.

Der Mathematik verdankte er doch seine Frau, seinen beruflichen Aufstieg.

Er begann, nach der Arbeit zu trinken.

Am Morgen in der Schule war er wieder nüchtern.

Er verkaufte in der Inflation ein Grundstück, das sie von der Mitgift seiner Frau gekauft hatten – er bekam Bargeld dafür.

Vom Bargeld hielt er eine ganze Gaststätte frei.

Auf dem Rückweg durch einen Bahntunnel wurde er zusammengeschlagen und beraubt, weil die Räuber schon in der Gaststätte das viele Geld sehen konnten.

Zu Hause kam er blutend und betrunken an.

Nichts war übrig.

Er schlug meine Mutter, als sie im Abiturjahr ihren Schulfreund küsste.

Nichts da mit Sinnlichkeit.

Dieser Vater blieb für meine Mutter übermächtig.

Aber sie ließ sich nicht zerschlagen.

Hitler war schon an der Macht.

Sie rauchte, sie ritt, und sie ging in eine andere Stadt zum Studieren.

Nach Greifswald.

Gleich am ersten Tag lernte sie ihren späteren Ehemann kennen als einen Mitarbeiter des NS-Studentenbundes. Er lebte in einer anderen Welt, der Gegenwelt zu der Welt ihres Vaters mit seiner inzwischen verbotenen Roten Lehrergewerkschaft und seinem Ausschluss aus dem Berufsbeamtentum.

Bei ihrem späteren Ehemann musste sie sich als Neuankömmling in der Studentenschaft melden und war als Berlinerin schnippisch zu ihm.

Wie man das aus diesen UFA-Filmen kennt, deren einer Hauptdarstellerin sie ähnelte.

Er war Jura-Student, der viel lieber in die Germanistik-Vorlesungen ging, Mitglied einer schlagenden Verbindung.

Bald duellierte er sich ihretwegen sogar.

Bald war er zärtlich zu ihr.

Er stellte sie seiner Mutter vor, die sich zur Kleinstadt-Prominenz zählte. Als meine Mutter bei seiner Mutter in der Wohnungstür stand, salutierte sie spöttisch.

Und die künftige Schwiegermutter war entsetzt.

Er sah: Diese Frau ist für meine Mutter eine Fremde.

Ich werde sie heiraten, nahm er sich vor, diese widerborstige Schönheit. Ich werde sie heiraten, obwohl sie noch ihre jüdische Lehrerin besucht und auch noch mit ihrer aus Deutschland geflohenen jüdischen Freundin Briefe wechselt.

Ich werde sie heiraten, trotz ihres Vaters, der inzwischen kein Rektor mehr sein darf, aber nicht wegen des Trinkens, denn das wusste niemand außer meiner Mutter und ihrer Mutter und nun außer ihm, sondern wegen seiner früheren Arbeit in der SPD.

Sie verlobten sich.

Sie studierten beide bis zu einem richtigen Abschluss, sie inzwischen wieder in Berlin.

Da wohnte sie wieder bei ihren Eltern.

Meine Mutter bekam eine Stelle in Berlin, er auch.

Meine Mutter wurde schwanger, sie heirateten, bezogen eine Wohnung.

Und drei Wochen später begann der Zweite Weltkrieg.

Mein Vater wurde sofort eingezogen, musste seine schwangere Frau zurücklassen, schrieb ihr jeden Tag einen Brief.

Seinen Eltern schrieb er auch jeden Tag.

Dann brachte meine Mutter ihr einziges Kind zur Welt.

Ihre Mutter war dabei und versorgte das Kind, nahm es zu sich.

Meine Mutter begann gleich wieder zu arbeiten.

Um ihrem Mann ein paar Tage Heimaturlaub vom Krieg

zu verschaffen, beschlossen sie, ihr Kind taufen zu lassen, obwohl sie beide nicht an Gott glaubten.

Der Vater meiner Mutter ging aus Protest gegen die Taufe nicht in die Kirche mit hinein.

Die Schwiegermutter meiner Mutter kam für ein paar Wochen nach Berlin und kümmerte sich um ihre Enkeltochter.

Sie liebte dieses einzige Kind ihres Sohnes und unterstützte es bis zu ihrem Tod achtundzwanzig Jahre später.

Denn ihr Sohn starb ja schon im nächsten Jahr im Krieg.

Und dieses Kind wird ohne ihn allein sein bei dieser fremden Frau, dachte die Schwiegermutter meiner Mutter.

Beim Tod ihres Mannes war meine Mutter siebenundzwanzig Jahre alt und hatte nun sein Kind.

Eigentlich wollte sie einen kleinen Peter.

Und nun war es ein Mädchen.

Es kam so vollkommen nach der Familie ihres Mannes, hatte so gar nichts von ihr selbst.

Das Mädchen sah ihrer Schwiegermutter so ähnlich.

Immerzu wurde meine Mutter an diese Frau erinnert, wenn sie das Kind ansah. Es war ihr fremd.

Später sagte sie zu ihm:

Du bist verrückt, schizophren, eitel wie deine Großmutter, wenn du in den Spiegel siehst.

Sie brachte die Zweijährige bei ihrer Mutter unter und besuchte sie an den Wochenenden.

Ja, meistens besuchte sie das Kind an den Wochenenden.

Wenn es die Arbeit erlaubte.

Als die Mütter mit ihren kleinen Kindern Berlin verlassen mussten wegen der Bombenangriffe, entschied sich meine Mutter für das Dorf ihres Vaters, das sie so gut kannte, denn zu Weihnachten und in den Großen Ferien war sie mit ihren Eltern immer dorthin gefahren.

Sie ließ ihre Tochter bei diesen Verwandten, den unverheirateten Tanten, und arbeitete als Rotkreuzschwester.

Ihre Aufgaben wurden immer schmerzlicher:

Sie musste aus den Flüchtlingstransportzügen die erfrorenen kleinen Kinder aus den Armen ihrer Mütter nehmen und hinaustragen. Die Mütter wollten nicht glauben, dass ihre Kinder tot waren. Und um den Müttern den Abschied von ihren Kindern zu erleichtern, wusch meine Mutter die Kinder, zog sie sauber an und brachte dafür das Kinderbett ihrer Tochter ins Krankenhaus.

Ihre Vierjährige musste nun bei meiner Mutter im Bett schlafen.

Eines Nachts kurz vor Kriegsende wurde meine Mutter wach vom Pferdewiehern und vielen leisen Schritten im Haus.

Sie stand auf und sah, wie die Verwandten gerade mit ihren voll bepackten Leiterwagen fliehen wollten.

Vor den Panzern der Roten Armee.

Sie hatten meine Mutter und ihr Kind extra nicht geweckt.

Denn sie brauchten Platz für ihre eigenen Habseligkeiten.

Notgedrungen gaben sie der Erschrockenen nun einen tänzelnden Schecken, der nicht gewöhnt war, eine Kutsche zu ziehen, und überließen sie ihrem Schicksal.

Die unverheirateten Tanten hatten meiner Mutter vorher schon gedroht, sie anzuzeigen, weil sie heimlich, versteckt unter einer Wolldecke, feindliche Radiosender hörte und darum wusste, dass die Russen bald kommen werden.

Mit ihrer Tochter und ihrer Handtasche schaffte es meine Mutter mit dem durchgehenden Pferd bis zu einer Sammelstelle in der nächsten Stadt.

Dort rief ein Soldat Mütter mit Kindern auf die Ladefläche seines Lkw, auch meine Mutter mit ihrer Tochter.

Der Soldat fuhr über Swinemünde, und als er hinter sich die russischen Panzer bemerkte, lenkte er den Lkw abgedunkelt zum Strand.

Er fuhr im feuchten Sand, am Rand der Ostsee entlang.

Oben auf der Straße die russischen Panzer.

Als der Sprit alle war, mussten alle zu Fuß weitergehen.

Meine Mutter fand einen dreirädrigen Kinderwagen und schob ihr Kind, bis sie bei den Eltern ihres Mannes ankam.

Dort war das fünfjährige Kind inzwischen todkrank geworden:

Mit hohem Fieber, Scharlach, Ruhr und Mittelohrvereiterung.

Meine Mutter setzte sich mit ihrer Pistole an das Bett ihres Kindes und sagte zu ihm:

Wenn du jetzt stirbst, erschieße ich mich.

Aber ihr Schwiegervater legte die Tochter seines toten Sohnes auf einen Bollerwagen und zog sie zu seinem Freund ins Krankenhaus, einem Arzt, der sie am Ohr operierte unter Äthernarkose.

Gott sei Dank konnte die Fünfjährige schon zählen, bis die Narkose einsetzte.

Und die Schwiegermutter meiner Mutter bekam für ihre Enkelin einen Apfel geschenkt, den sie ihr rieb.

Denn geriebene Äpfel helfen dir jetzt bei deinem Durchfall.

Der Schwiegervater meiner Mutter gab seiner Frau und meiner Mutter Gift und forderte sie auf, sich zu vergiften, sobald die Russen in der Tür stünden.

Aber meine Mutter weigerte sich: Nein, dann müsste ich ja zuerst mein Kind vergiften. Das kann ich nicht.

Die Verwandten aus Hinterpommern nutzten die Wohnung der Schwiegereltern meiner Mutter zu einer Zwischenstation, fuhren aber bald weiter in den Westen.

Die Tochter meiner Mutter überlebte. Die Stadt Greifswald wurde kampflos übergeben. Meine Mutter versenkte ihre Pistole im nahen Fluss.

Nun war der Krieg zu Ende und meine Mutter eine einunddreißigjährige Witwe mit einem fünfjährigen Kind.

Sie zog zu ihren Eltern nach Berlin und arbeitete die nächsten neunundzwanzig Jahre bis zu ihrer Rente Tag für Tag.

Ihr Vater lebte nach dem Krieg nur noch zwei Jahre.

Danach ernährte meine Mutter ihre Mutter und ihre

Tochter von ihrem Gehalt, und die beiden arbeiteten dafür im Haushalt für sie.

Als meine Mutter einundvierzig Jahre alt war, erkrankte ihre Mutter an Krebs und wurde bestrahlt.

Ganz schwarz wurde die Brust ihrer Mutter davon.

Zum Schluss lag sie zu Hause und bekam Morphiumtropfen gegen die furchtbaren Schmerzen.

Die Tochter meiner Mutter holte Tag und Nacht mit einer Vollmacht das Morphium in kleinen Flaschen mit wenigen Tropfen aus den diensthabenden Apotheken.

Eines Morgens atmete die Mutter meiner Mutter so schwer, so anders.

Meine Mutter wusste als Rotkreuzschwester, dass das Sterben bedeutete. Sie machte sich fertig für ihren Weg zu ihrer Arbeitsstelle und sagte: Wenn sie gestorben ist, rufst du mich bitte an.

Im Hinausgehen.

Es war der erste Ferientag.

Und die Tochter meiner Mutter konnte darum auch den Vormittag bei der sterbenden Großmutter sein.

Vom Telefonhäuschen wieder zurück zur Toten musste sie vom Fahrrad absteigen, so zitterte sie.

Sei klug wie die Schlange, aber ohne Falsch wie die Taube, das war die Lebensmaxime meiner Mutter. Danach versuchte sie in beiden Diktaturen, in denen sie leben musste, zu handeln.

Im vereinten Deutschland hatte sie eine gute Rente:

Zu ihrer Altersrente bekam sie die Zusatzversorgung

der Intelligenz aus der zweiten Diktatur und ihre Krieger-witwenrente aus der ersten Diktatur. In der ersten Diktatur war sie Mitglied der Partei, weil ihr Mann das so gern wollte, ging aber zu keiner einzigen Versammlung, das beschwor sie, aber in der zweiten Diktatur trat sie nicht in eine Partei ein.

Erst nach der Wende trat sie in die Partei, der ihr Vater angehört hatte.

Sie nannte es eine Familientradition.

Sie war schon über achtzig, als sie in der Fußgängerzone beim Wahlkampf half, den Kindern aufgeblasene Luftballons an Bändern mit den Anfangsbuchstaben der Partei gab und sie ermahnte, ihre Eltern zur Wahl zu schicken:

Die müssen auf jeden Fall wählen, das ist auch für euch gut, hört ihr?

Und sie erzählte immer wieder, dass sie ihrer emigrierten jüdischen Freundin auf deren Briefe aus dem Ausland ab 1938 nicht mehr antwortete, obwohl sie diese so gern hatte. Ihr Ehemann hatte sie dazu gedrängt, denn er befürchtete berufliche Nachteile wegen seiner Frau, die noch im Briefwechsel mit einer Jüdin stand. Sie besuchte deshalb die von ihr verehrte jüdische Studienrätin in Berlin-Grunewald auch nicht mehr. Fast achtzig Jahre Schuldgefühle, trotzdem würde sie sich wieder so verhalten. In der Diktatur ist das so, sagte sie, da hat man Angst.

Zu ihrem neunzigsten Geburtstag kam sogar der Bürgermeister:

Mein Genosse, sagte sie, als er neben ihr auf dem Sofa Platz nahm und ihre Tochter ihm Kaffee eingoss.

Ja, ihre Tochter:

Sie war meiner Mutter fremd geblieben. Nach dem Tod ihrer Schwiegermutter schien ihr Geist geradewegs in diese Tochter hineingefahren zu sein.

Meine Mutter sagte versehentlich immer öfter Mutti zu ihrer Tochter, denn so hatte sie ihre Schwiegermutter immer genannt.

Eine Weile hatte meine Mutter ja gedacht, dass ihre Tochter die Hände, die Füße, den Gang, die Schultern, das Lachen vom Ehemann meiner Mutter geerbt haben könnte, aber mehr und mehr musste sie erleben, wie sie zu einem Ebenbild seiner Mutter, ihrer Schwiegermutter, wurde:

Dieses Besserwisserische, Rechthaberische, auch das Sparsame, das hat sie alles nicht von mir, sagte sie.

Geld ist doch zum Ausgeben da, sagte sie.

Am Monatsbeginn, wenn die Miete vom Konto abgegangen war, stand das Konto meiner Mutter noch vierzig Euro im Plus, dann ging es ins Minus.

Ich gehe nicht zur Schuldenberatung, geh du doch zur Schuldenberatung und lass dir raten, wo du dein Erspartes anlegst, sagte meine Mutter spöttisch zu ihrer Tochter.

Ihre beiden Sterbeversicherungen ließ sie sich auszahlen.

Du bist wirklich impertinent, Milli hat recht, hast du denn gar keine geistigen Interessen, dass du mich immerzu nach meinen Schulden fragen musst, hast du gar kein anderes Lebensthema als meinen Kontostand, fragte meine Mutter ihre Tochter.

Als meine Mutter nach einem Unfall im Hausflur ins Krankenhaus kam, war es gerade Monatsende, und sie hatte überhaupt nichts mehr:

Keine Ersparnisse, der Überziehungskredit ausgeschöpft, Mahnungen vom Versandhaus wegen des Bernstein-schmucks für Milli, nichts mehr in der Geldbörse außer Millis lächelnden Fotos.

Da musste der Enkel eben etwas borgen, denn sie brauchte doch Kinder-Country für sich und Geld für Millis Pferdefutter.

Und das Krankenhaus wollte für jeden Tag eine Zuzah-lung von zehn Euro.

Aber die Rechnung des Krankenhauses konnte sie ja von der nächsten Rente bezahlen.

Auf dem Markt hatte sie anschreiben lassen:

Sie kannten sie ja seit Jahren.

Und bekamen schließlich ihr Geld immer wieder.

Einmal, als ihre Tochter zwanzig Jahre alt war und meine Mutter sechsundvierzig, sie noch in einer gemein-samen Wohnung wohnten mit dem ersten Mann und dem neugeborenen Kind der Tochter, die mitten in den Prü-fungen im Studium war und nur 150 Mark Stipendium bekam, wollte meine Mutter wieder etwas Geld borgen von ihrer Tochter, um ihr Konto zu decken wie schon die Jahre zuvor, denn in der DDR durfte man das Konto nicht

überziehen wie heutzutage, und man durfte keine unge-
deckten Schecks ausstellen. Als ihre Tochter zum ersten
Mal ablehnte und sagte, dass es doch so schön wäre, wenn
meine Mutter endlich erwachsen werden könnte und mit
dem auskommt, was sie verdient – und das sei doch das
Mehrfache ihres Stipendiums –, sprach meine Mutter zur
Strafe ein Vierteljahr nicht mit ihrer Tochter.

Drei Monate vergingen:

Weihnachten, der Jahreswechsel.

Schweigend standen die beiden Frauen nebeneinander
in der Küche beim Brotschneiden.

Da sagte meine Mutter nach einem Vierteljahr zu ihrer
Tochter, die noch stillte, ganz ruhig:

Wenn du doch damals nach der Flucht gestorben wärst.

Das hatten beide bis zum Tod meiner Mutter nicht vergessen.

Und die Tochter meiner Mutter vergisst es bis heute
nicht.

Und später sagte meine Mutter einmal:

Die Menschen deiner Generation sollten ihren Müttern, die sie damals auf der Flucht retteten, ein Denkmal
setzen.

Als kleines Kind war Milli einmal todkrank mit einer
Bauchvereiterung, und meine Mutter sah sie im Kranken-
hausbett so vollkommen bleich und geschwächt.

Ach, daran musste meine Mutter immer wieder denken.

Es hat ihr im wahrsten Sinne des Wortes fast das Herz
zerrissen.

Meine Mutter hatte zwei Porträtfotografien, auf denen Milli sie anlächelt, im Portemonnaie:

Das war zum Aufklappen.

So hatte sie die junge Frau gleich mit zwei verschieden lächelnden Gesichtern bei sich und konnte sie sehnsuchtsvoll betrachten.

Auf einem Foto trägt Milli einen großen, golden eingefassten Bernsteinanhänger an einer goldenen Kette im tiefen Ausschnitt, auf dem anderen stützt sie ihr Gesicht in die linke Hand, am Ringfinger einen goldenen Ring mit Bernstein. Um das Handgelenk spannt sich ein in Gold eingefasstes Bernsteinarmband.

Das habe ich ihr alles geschenkt, das hat sie von mir, sagte meine Mutter.

Und jeden Monat gab sie ihr hundert Euro, damit Milli ihrer Mutter das Pferdefutter bezahlen konnte, denn selbst verdiente Milli noch nichts, lebte am Wochenende bei Bruder, Pferd und Mutter und in der Woche in der Nähe der Berufsschule.

Wenn Milli zu einer Party gehen und danach bei meiner Mutter übernachten wollte, gab meine Mutter ihr das Taxigeld für die Rückfahrt, damit ihr auch bloß nichts passierte.

Denn Millis lange hellblonde Haare leuchteten so in der Nacht.

Und meine Mutter las die ganze Nacht die schlimmsten Krimis, während sie manchmal bis morgens auf Millis Rückkehr wartete.

Milli musste immer dem Taxifahrer sagen, dass er warten soll, bis sie die Haustür wieder hinter sich geschlossen hat.

Im Sommer fuhr sie mit Milli zwanzig Jahre lang zu derselben Fischersfrau auf Hiddensee.

Sie hatten dort zusammen ein kleines Zimmer im ersten Stock mit einer steilen Treppe.

Die Fischersfrau lebte von der Zimmervermietung das ganze Jahr, aber Gäste kamen nur im Sommer.

Dann hatte sie noch das wenige als Verkäuferin, wenn sie für ein paar Stunden im Lebensmittelladen aushalf.

Immer zur selben Zeit wie meine Mutter machte Millis Mutter mit Millis Bruder auf der Insel Urlaub, in einem Hotel, eine Stunde mit dem Fahrrad entfernt.

Milli fuhr dann den ganzen Tag zur Mutter und zum Bruder und kam abends zurück.

Dann hatte meine Mutter ihr Liebstes wieder bei sich die ganze Nacht und auch noch zum Frühstück.

Darauf freute sie sich das ganze Jahr.

Aber einmal sollte es doch Finnland sein.

Meine Mutter hatte inzwischen eine sehr schöne Wohnung in einer Potsdamer Villa am Park und wohnte dort allein:

In der Beletage, sagte sie, wenn sie von ihrer Wohnung sprach.

Mit Fahrstuhl, der im Vorraum hält, mit Parkett, Stuck, Flügeltüren, viereinhalb Meter hohen Räumen und einer Gästetoilette.

In dieser Wohnung wollte sie eigentlich bis an ihr Lebensende bleiben.

Die Hausnummer war dieselbe wie die ihrer Eltern, da wusste sie gleich, dass das ein gutes Omen war.

Um sie herum stapelten sich, lagen und standen zehntausend Bücher. Im Keller blieben noch einige Bücherkartons unausgepackt seit dem letzten Umzug hierher.

Viele Bücher waren noch in Folie eingeschweißt.

Sie wollte diese Bücher haben und kaufte sie alle.

Man kann alles in dem Buch *Der Büchernarr* nachlesen, wozu die Sammelwut führt, sagte meine Mutter.

Die Bücher sind nicht zum Lesen da, eine Sammlung muss vollständig sein.

Und die Regale aus Eichenholz.

Das vierundzwanzigbändige Lexikon in Leder mit Goldschnitt war in seiner grauen Karton-Schutzverpackung verwahrt und extra für sie gedruckt worden, wie die Verlagsvertreterin ihr versicherte.

Meine Mutter hatte im Krieg alles verloren bis auf ihre Handtasche mit einem Taschentuch, wie ihre verhasste Schwiegermutter auf der Straße allen Leuten erzählte, als meine Mutter 1945 auf der Flucht aus Hinterpommern bei ihr ankam.

Nun wollte sich meine Mutter nach der Wende, also fünfundvierzig Jahre nach der Flucht aus Hinterpommern, wenigstens etwas wieder anschaffen, was sie vor dem Krieg besessen hatte:

Ein solches Lexikon, das Regalbretter füllt.

24 000 D-Mark hat es gekostet, Band um Band hatte sie es erwartet, aber weil sich das Wissen alle paar Jahre verdoppelt und die Leute nur noch im Internet suchen, war es bald nur noch ein paar Hundert Euro wert.

Die Bücher sollten mal alle an Milli vererbt werden.

Milli hatte einen Schlüssel für die Wohnung meiner Mutter. Sie rief an, bevor sie kam, und klingelte an der Haustür.

Aber eines Abends rief Milli sie an und fragte, ob sie ganz bei ihr leben dürfte. Denn ihre Mutter hatte im Streit, wie schon so oft, zu Milli gesagt:

Mach endlich, dass du rauskommst.

Immer war Milli geblieben.

Diesmal nicht:

Sie hatte ihre Tasche gepackt und war mit ihrem kleinen alten Auto zuerst zu ihrer besten Freundin gefahren, um zu überlegen.

Dort durfte sie eine Nacht bleiben, aber dann sollte sie sich doch lieber etwas für länger suchen, hatte die Mutter der Freundin gesagt.

Darum rief sie bei meiner Mutter an und bekam für die nächsten Monate die Liege in der großen Küche und einen Schrank für ihre Sachen.

Von dort fuhr sie ins Praktikum, Geld verdiente sie da nicht.

Aber meine Mutter hatte ja ihre Renten.

Und Millis Mutter konnte sich sowieso denken, dass ihr Kind bei meiner Mutter lebte.

Außerdem zog sie zu ihrer Beruhigung Erkundigungen

ein, denn sie hatte den Kontakt zu meiner Mutter beendet nach ihrer Scheidung von Millis Vater.

Sippenhaft.

Mit dem Fernsehprogramm mussten sich meine Mutter und Milli einigen: Meine Mutter sah gern Krimis, bis spät in die Nacht, mehrere hintereinander. Und Milli sah gern ihre Musikbands.

Da hat jede bei der andern was aushalten müssen.

Zu meiner Mutter kam zweimal die Woche für eine halbe Stunde zum Staubsaugen und Einkaufen ein Zivi.

Am liebsten hätte sie stattdessen mit ihm Kaffee getrunken.

Aber so brauchte Milli im Haushalt nicht zu helfen.

Hauptsache, sie ist da und fühlt sich wohl, sagte meine Mutter.

Meine Mutter war eigentlich nicht gesund, aber darum kümmerte sie sich nicht:

Sie hatte hohen Blutdruck und Alterszucker.

Wegen des Zuckers musste sie zweimal am Tag spritzen.

Das konnte sie allein, aber jedes Mal wollte eine Krankenschwester dabei sein, die deshalb extra mit ihrem kleinen Auto durch die Stadt fuhr zu ihren Diabetikern.

Diät hielt meine Mutter nicht, aß stattdessen Weintrauben und Müsliriegel in Schokolade.

Eigentlich sollte das niemand wissen, und meine Mutter versteckte es vor der Krankenschwester.

Die wunderte sich über die hohen Werte.

Dann soll sie eben nicht so oft kontrollieren, dann muss

sie sich auch keine unnötigen Sorgen machen, sagte meine Mutter.

Milli hatte schon mit dem Zivi geschimpft, denn der brachte dieses verbotene süße Zeug mit, wenn es auf dem Einkaufszettel stand.

Er wäre ja nicht der Vormund meiner Mutter, soll er damals gesagt haben.

Außerdem rundete meine Mutter ihm das Einkaufsgeld immer auf, um ihn zu bestechen.

In letzter Zeit war meine Mutter öfter hingefallen, sogar einmal die Rathaustreppe hinuntergestürzt.

Und als ihr Enkel zu Besuch kam, erschrak er sich über ihr blaues Gesicht.

Sie ging nicht mehr so sicher mit ihrem hohen Blutdruck und nach den Augen- und Ballen-Operationen.

Und manchmal wurde ihr schwindlig.

Alle Mitbewohner im Haus arbeiteten tagsüber, darum hörte niemand, wenn meine Mutter um Hilfe rief.

So, wie einmal im Winter, als sie im Vorraum des Fahrstuhls hinfiel, sich dabei den Unterarm brach, den Brustkorb prellte, das Knie zerrte und sich nicht aufrichten konnte. Erst nach einer Stunde konnte ihr jemand helfen, als er von der Arbeit kam. Er brachte meine Mutter in ihre Wohnung und wollte den Rettungsdienst rufen. Aber sie lehnte das ab, denn die Krankenschwester sollte ja sowieso bald mit ihrer Abend-Zuckerspritze kommen. Die brachte meine Mutter sofort in ihr kleines Auto und fuhr mit ihr ins nächste Krankenhaus.

Dort wurde meine Mutter geröntgt und gegipst. Das dauerte ein paar Stunden. Um Mitternacht sagte der Oberarzt der Rettungsstation:

So, sie kann jetzt ins Heim zurück.

Ein Krankenwagenfahrer fuhr meine Mutter in ihre Wohnung und setzte sie dort auf einen Stuhl.

Dort saß sie die ganze Nacht, mit Beinen wie Gummi, konnte nicht ins Bett, nicht auf die Toilette, niemanden anrufen, bis die Krankenschwester mit der Morgen-Zuckerspritze kam.

Die Krankenschwester rief bei der einzigen Telefonnummer an, die neben dem Telefon lag, das war Millis Nummer.

Die konnte vom Unterricht nicht weg und schrieb ihrem Vater eine SMS. Der kümmerte sich und brachte meine Mutter wieder ins Krankenhaus, denn allein zu Haus war sie ganz und gar hilflos.

Der Oberarzt der Rettungsstelle konnte sich nicht vorstellen, sagte er zu seiner Rechtfertigung, dass meine Mutter noch allein lebt:

Da müssen Sie sich jetzt in der Familie eine Lösung einfallen lassen.

Für einen Tag könnte er sie in der Unfallstation aufnehmen, bis ein Platz in einer Kurzzeitpflege gefunden sei.

Es war Wochenende, die Ämter zu, die Krankenhausfürsorgerin erst Montag wieder da, keine Pflegestufe, eine Aufgabe für die Tochter meiner Mutter, die weit weg wohnte und die nächsten vier Wochen am Telefon und am Faxgerät das Nötige regelte:

Meine Mutter blieb noch eine Woche im Krankenhaus und kam dann für drei Wochen in eine Dreier-Wohngemeinschaft in einer Vierzimmerwohnung in einem Haus mit elf solchen Wohnungen.

Zwei Pfleger arbeiteten dort in 24-Stunden-Bereitschaft.

Meine Mutter hatte ein eigenes Zimmer und teilte sich mit zwei Damen ein Wohnzimmer, das Bad und die Küche.

Einen Telefonanschluss würde meine Mutter nur bekommen, wenn sie ganz dableibt, sie soll angefüttert werden, sagte die Leiterin. Und darum kostete jeder Tag mit allem Drum und Dran, Haare waschen und geduscht werden und Essen gebracht bekommen, nur 24 Euro. Aber meine Mutter wollte dort auf keinen Fall bleiben, denn bei der Faschingsfeier sah sie auch Bewohner der anderen Wohnungen. Da müssen Verrückte bei gewesen sein, sagte sie.

So weit sei es mit ihr noch nicht.

Gleich am ersten Tag in der Wohngemeinschaft fuhr sie ein Pfleger im Rollstuhl in den Supermarkt gegenüber, damit sie sich Waschsachen besorgen konnte, und ließ sie für zehn Minuten allein.

Sie kaufte viele Süßigkeiten, obenauf legte sie Seife und Shampoo, damit er die verbotenen Süßigkeiten darunter nicht bemerkte, als er sie wieder abholte.

Zurück in ihrem Zimmer, versteckte sie die Pralinen.

Aber wo war nun die Seife?

Im Bad war sie nicht, so konnte sie nur bestohlen worden sein, sagte sie.

Die Schwestern, der Pfleger?

Die beiden Mitbewohnerinnen?

Wer hatte ihre Seife und ihr Shampoo?

Als Milli zu Besuch kam, saß meine Mutter verstört auf ihrem Bett:

Die haben mir mein Duschgel gestohlen.

Die Schwestern kannten das schon von den andern und sagten ruhig, dass sie ihren Bedarf selbst kauften.

Und die Mitbewohnerinnen sahen sie traurig an.

Milli suchte auch in der zusammengeknautschten Einkaufstüte:

Da war das Gesuchte.

Nun entschuldige dich, sagte sie zu ihrer Urgroßmutter, zu ihrer vierundneunzigjährigen Urgroßmutter:

Bei den Schwestern, dem Pfleger und den beiden Frauen. Sag ihnen, wo du es gefunden hast, das musst du jetzt machen. Und vielleicht wird es ja in diesem Sommer was mit Finnland.

Milli hatte gesagt, dass die Treppe bei der Fischersfrau auf Hiddensee doch wohl inzwischen zu steil für meine Mutter sei:

Hiddensee lassen wir in diesem Jahr lieber.

Meine Mutter hatte für eine eventuelle schwere unheilbare Krankheit und ihr Urnenbegräbnis geregelt, was sie regeln konnte:

Beim Notar ein Patiententestament aufgesetzt, Milli als Verantwortliche benannt und beim Hausarzt hinterlegt.

Beim besten Beerdigungsinstitut der Gegend war sie auch gewesen und hatte alles bestellt:

Es sollte zwei Feiern geben, eine größere und eine im engsten Familienkreis.

Sie glaubte nicht an Gott, genau wie ihr Vater, der sie in der Weimarer Zeit zur Jugendweihe schickte, aber ausgetreten aus der Kirche war sie zu DDR-Zeiten nie, darum war sie Mitglied der Kirche seit ihrer Taufe noch im Ersten Weltkrieg, und nun blieb sie auch dabei:

Denn ein Pfarrer sollte doch sprechen bei der Beerdigung.

Darum hatte sie sich manchmal Weihnachten auf das Angebot des Pfarrers gemeldet, sie zum Gottesdienst in der Kirche am Heiligabend mit dem Auto abzuholen und auch wieder nach Hause zu bringen:

Damit er sie bei Lebzeiten schon mal gesehen hat. Das ist irgendwie feierlicher, sagte sie, wenn ein Pastor bei der Trauerfeier in der Kirche redet, und am liebsten sollten sie *Geh aus, mein Herz, und suche Freud* singen, ihr Lieblingslied. Egal, welche Jahreszeit gerade sein wird. Ihr anderes Lieblingslied *Wann wir schreiten Seit an Seit* passte ja bei dem Anlass nicht so.

Dann sollten die Trauergäste alle zusammen in einer guten Gaststätte schön Mittag essen und an sie denken.

Die Beisetzung der Urne sollte dann mit den nächsten Familienangehörigen erfolgen.

Ohne Feier.

Damit alle wissen, wo sie liegt.

Diese Grabstelle hatte sie sich schon vor ein paar Jahren ausgesucht und von der Friedhofsgärtnerei bepflanzen und pflegen lassen.

Sie hatte sich schon beim Friedhofsgärtner erkundigt, ob noch eine Urne auf die Grabstelle passt, und er hatte das bejaht.

Auf diese Grabstelle hatte sie den großen Marmorstein mit den Namen ihrer Eltern, die 1947 und 1956 gestorben waren, umsetzen lassen.

Hier war nämlich der Teil des Friedhofs, gleich am Eingang, unter hohen Bäumen, wo zur Weimarer Zeit, als ihr Vater hier in der Nähe Schulrektor war, die Vornehmen beerdigt wurden.

Die Eltern meiner Mutter liegen in Wirklichkeit weit hinten auf dem Friedhof, auf freiem Feld, ganz ohne einen einzigen Baum.

Damals, als sie die beiden beerdigen ließ, war hier noch nichts frei.

Und inzwischen sind ihre Gräber eingeebnet.

Auf dem Marmorstein war noch ein Gedenken eingemeißelt an den Mann meiner Mutter. Meine Mutter hatte sich nach 1990 in der Kriegsgräberfürsorge betätigt und Spenden dafür gesammelt. Sie erfuhr dort, dass seine sterblichen Überreste nicht mehr in dem Grab sind, von dem sie das Foto hat:

Denn er hatte noch ein eigenes Grab.

Aber sein Name steht ja auf dem Grabstein ihrer Eltern, auf dem auch sie eingraviert werden wollte.

Deine Tochter will ja vielleicht auch zu deiner Beerdigung kommen. Und vielleicht lebt sie dann noch und ist noch gar nicht tot, sagte Milli.

Die wäre ja eigentlich deine Großmutter, sagte meine Mutter zu ihrer Urenkelin.

Meine Mutter starb in einem Winter.

Sie wurde einhunderteins Jahre alt.

Der Pastor teilte in der Kapelle Liedblätter aus, auf denen statt »Sommerzeit« nun »Jahreszeit« stand. So sang die Trauergemeinde »Geh aus mein Herz und suche Freud in dieser schönen Jahreszeit«. Alles so, wie meine Mutter es wollte.

Ganz allein steht ihre Urne auf dieser Grabstelle, über ganz fremden Leuten, ohne ihre Eltern und ohne ihren Mann, aber vor deren schwerem Grabstein.

Auf dem hat ihre Tochter sie nun auch eingravieren lassen.

Als ob sie dazugehört.

Anlässlich des Muttertags, an dem ich meiner Mutter eine Briefkarte mit einem Kitschgedicht in geprägter Goldschrift geschickt hatte mit Muttertreu und Blümchen, nach mehreren Monaten wieder ein Lebenszeichen, eigentlich ein kleiner ironischer Gruß, dankte sie mir am Telefon:

Sie dachte, sie höre gar nichts mehr von mir, ja, sie wollte mir doch einmal danken für alles, was ich für sie getan hatte, das Nähen der Gardine, das Borgen des Umzugsgelds, das sie ja nun zurückerstattet habe, denn man habe ihr doch noch einmal einen Bankkredit gewährt, sie danke für die Jacken: für den Sommer, für den Winter und gegen Regen. Denn sie habe den Eindruck, dass ich wohl denke, dass sie das alles nicht würdigen kann. Sie möchte mir an diesem Muttertag darum doch einmal ausdrücklich danken.

Und wenn der Buchfink bei uns zu hören ist, möchte sie gleich angerufen werden.

# Alt sein

Nicht alt werden, nicht alt geworden sein, sondern: alt sein.

Nicht Angst vor dem Alter, nicht Angst vor Siechtum und Tod, sondern: alt sein.

Mehr als die Hälfte des Lebens hab ich schon gelebt. Unsinn: Dann müsste ich ja hundertsechzig Jahre alt werden.

Also mehr als drei Viertel des Lebens gelebt? Vier Fünftel? Dann hätte ich noch zwanzig Jahre zu leben? Und würde hundert Jahre alt werden.

Und wenn ich noch zehn Jahre vor mir hätte? Zehn Winter, zehn Frühlinge, zehn Sommer, zehn Herbstzeiten? Zehnmal sehen, wie hinter unserem Zaun das Korn geschnitten und gedroschen wird, wie die Lkws versetzt hinter den Mähdreschern fahren und das Korn aufnehmen aus hohem staubigen Bogen?

Der Großteil meines Lebens ist vorbei. Und es geht immer schneller. Wie in den Trichter eines Ameisenlöwen rutsche ich, der Sand gibt nach. Die Medikamentenbox für die Woche hab ich doch gestern erst vollständig gefüllt mit zwanzig Tabletten täglich. Und nun ist sie leer. Hab ich die Vorhänge nicht eben zugezogen, frage ich mich, wenn ich sie aufziehe. Und erst das Frühstück. Hab ich es nicht eben abgeräumt – und nun kommt schon die *Tagesschau*.

Sich der Zeit demütig ergeben, las ich kürzlich.

Das ist das Gute, das Sanfte, das Glückbringende am Alter: Ich muss gar nichts.

Mir kann niemand etwas befehlen. Wenn ich sage, ich bin achtzig, dann habe ich sofort mildernde Umstände bei der Hotline der Nordwestmecklenburgischen Sparkasse, nachdem mein Online-Zugang zum Push-TAN-Verfahren gesperrt wurde.

Ich bin achtzig, und ich soll meinen Administrator kontaktieren, steht auf meinem Display, sage ich zu der jungen weiblichen Ratgeberstimme.

Na, dann schaffen Sie das sowieso nicht, antwortet sie mir. Sie müssen ja erst über den Playstore (haben Sie Android?) die Sparkassen-App laden, ein Passwort vergeben, das nicht mit dem Onlinezugang an Ihrem Computer übereinstimmen darf, acht Stellen, Groß- und Kleinbuchstaben sowie Zahlen enthalten muss, und unabhängig davon mit den neuen Zugangsdaten, die wir Ihnen jetzt noch einmal schicken müssen, Push-TAN einrichten. Eins müssen Sie über den Browser machen, und eins über die App, und vor allem, immer neue Passwörter, ermahnt sie mich.

✳✳✳

166

Aus ihrer Wohnung in dem Stift, in dem sie noch in der Woche zuvor lebte, hätte meine Mutter in ihrem Rollstuhl mit dem Fahrstuhl drei Stockwerke abwärts fahren können ins Café, in dem jeden Nachmittag etwas geplant war: Vorträge, Brettspiele, einfach Gespräche unter Nachbarn.

Aber das sind ja alles alte Leute, sagte sie mir, da fahre ich nicht runter.

Lieber wollte sie sich mit den Kindern der Pflegeschwestern unterhalten, denen etwas vorlesen.

Die sollten ruhig ihre Kinder mitbringen, wenn sie bei ihr sauber machten. Und nach dem Untier suchen, das aus der Toilette mit einem Männerkopf herausgeschnellt war und sich nun unter ihrem Bett verkrochen hatte.

Alt sein:

Wenn die Gesichter ähnlicher werden und die Namen dazu verschwinden, wenn das Shampoo verschwunden ist, das von der Schwester eben noch aus der Einkaufstüte ins Badezimmer gestellt wurde. Und zwar von der Pflegeschwester, die schon immer so merkwürdig guckt, sagte meine Mutter.

Ach, hier steht es ja. Wie kommt es dahin?, fragte meine Mutter da.

Ein Freitag im Februar.

Und am darauffolgenden Donnerstag früh kam der Anruf vom Krankenhaus, dass sie gestorben war.

Als ich diese Geschichte H. vorlas, mit dem ich schon seit über fünfzig Jahren zusammenlebe, fragte er mich, etwas mahnend: Und wo bist du in der Geschichte?

Alles handelt von mir. Aber da fällt mir doch der Arzt ein, der mich amüsiert fragte, als er die Überweisung zur Computertomografie unterschreiben sollte: Und, würden Sie etwa noch etwas unternehmen, wenn man etwas findet?

Ja, ich bin doch erst achtzig.

Er unterschrieb höflich.

Oder die Ärztin, die befürchtet, mit einem bestimmten, fähigen jungen Kollegen in der Notaufnahme zusammen Dienst zu haben: Ab einem bestimmten Alter der Patienten, die der Rettungswagen bringt, arbeitet er langsamer als sonst und sagt: Na, mal muss doch gestorben werden.

Ja, aber dein Altsein, sagt H.

Ich fühle mich freier. Früher stand ich um sechs Uhr auf, machte für alle Frühstück, frühstückte, machte Stullen, fuhr mit hohen roten Wildledersandalen auf dem Fahrrad zur Klinik, wo das Wartezimmer schon voll war, zog den weißen Kittel über mein schwarz gefärbtes kurzes Cordsamtkleid, band meine mit Henna rot gefärbten Haare im Nacken zusammen und öffnete das Dienstzimmer.

Heute klingelt um diese Zeit mein Wecker, ich werfe mir mein weites graues Badekleid über, schlurfe in lammfellgefütterten Pantoffeln am Bett von H. vorbei, sage Guten Morgen und dann zähle ich langsam bis hundert. Das sind meine kleinen Aufgaben, die uns in den Tag bringen.

Dann kommt die Pflegeschwester und ich frage sie zum Beispiel heute, wie es andere alte Leute wie wir machen, und biete ihr etwas zum Trinken an.

Sie darf nichts annehmen, trinkt im Stehen einen Tee, darf wegen der Schweigepflicht nur allgemein antworten, nur so viel:

Die machen kurzen Prozess und bringen ihre Angehörigen ins Heim.

Manchmal kommen die Schwestern zu jemand, den sie schon jahrelang betreuen, und die Stube ist leer.

Da ist der Klient ins Heim gekommen oder in dieser Nacht gestorben, und die Angehörigen rufen einfach nicht an.

Aber manchmal stehen die Alten auch morgens nicht auf und wollen im Nachthemd noch gemütlich im warmen Bett kuscheln und den Tee wie heute nicht trinken, den der Sohn extra aufgebrüht hat. Aber er wird doch kalt, sagt der Sohn.

Dann machst du mir nachher noch einmal einen, antwortet ihm seine alte Mutter.

Wollen bis zum Schluss bestimmen, meinte die freundliche Schwester und setzte sich mit ihrem Kaffee auf eine Stuhlkante:

Ich habe doch nur fünfundzwanzig Minuten.

Man kann sie nämlich mit GPS orten.

Aber dein Altsein, mahnt mein Mann.

Ich komme beim Älterwerden ganz langsam in der Gegenwart an.

Früher hab ich oft an die Sätze voll Missgunst denken müssen, aus der Vergangenheit zwar:

Aber wie in einer Giftwolke umwehten sie mich.

Oder an abergläubische Warnungen, diese bösen Ahnungen anderer Menschen, die mich bedrückten.

Oder an grausige Bilder, die andere Menschen quälten und die sie an mich weiterleiten wollten, um sich davon zu erlösen.

Ich komme beim Älterwerden auch langsam aus der Zukunft an, ich nehme Abschied von den Aussichtstürmen, die ich nie besteigen, den warmen Meeren, in denen ich nie baden werde, den Opernhäusern, den Museen in fernen Hauptstädten, der Transsibirischen Eisenbahn, in der ich nicht schlafen werde.

Denn ich habe mir in meinem langen Leben alles einverleibt, was ich wollte an Liebe, Wärme, Bildern, Erinnerungen, Fantasien, Sonaten. Es ist alles in diesem Moment in mir. Und wenn ich ganz alt bin, vielleicht gelähmt und vielleicht blind, und vielleicht sehr hilfsbedürftig, dann wird das alles auch noch immer in mir sein. Das ist nämlich mein Schatz.

Mein unveräußerlicher.

Ich habe wie jeder Mensch meinen Schatz in mir vergraben.

Ja, in diese Richtung müsste deine Geschichte gehen, sagt er.

In diese Richtung.

# Dämmerungen eines einzigen Tages

Gestern fragte ich eine der Pflegeschwestern, was ihr zu Dämmerung einfällt. Zwischen Haustür und Gartentor, ich begleitete sie auf diesem eiligen Weg zwischen ihren sechzehn Patienten an einem Vormittag:

Der Mond, der Nebel, wenn es Nacht wird, war ihre Antwort.

Ich sagte, dass auch ich so an Dämmerung denke: Das Zwischenreich von Tag und Nacht, die Konturen werden sanft, bevor es dann ganz schwarz wird. Nie denke ich an Dämmerung am Morgen, nach der es hell wird. An der Ampel denke ich bei Gelb immer an Rot, nie an Grün.

Die Pflegeschwester blieb kurz stehen, einen Schritt vor ihrem kleinen roten Auto, vor dem nächsten Patienten.

Eine bestimmte Dämmerung kann sie bis heute nicht vergessen: Sie lag im Rettungswagen, und die Notärztin sagte bittend zu dem Fahrer: Können Sie nicht schneller fahren? Während dieser dringenden Bitte, deren Worte immer leiser wurden, sah sie einen langen Tunnel, so als ob sie in die Tiefe fallen müsste, und sie hörte die Stimme ihrer Mutter, die doch schon tot war, und nun ihren Namen rief: Komm! Dann hörte sie wieder die Stimme der Notärztin. Diese Stimmen wechselten in ihrer Lautstärke. Das war wohl so eine Dämmerung. Sie kam gleich in den OP. Der Chirurg besuchte sie dann noch jeden Tag an ihrem Bett und war so froh, dass sie noch lebte. Nach dieser Dämmerung verlor sie die Angst vor dem Tod.

In der WhatsApp-Nachricht einer Verwandten am Nachmittag las ich, dass sie am Bett ihrer sterbenden Mutter sitzt. Sie war schon früh von der Mutter weggezogen. Jetzt war die Mutter siebenundneunzig Jahre alt und wog nur noch dreißig Kilo. Sie hat sie gestreichelt, ihr schon das Lied *So nimm denn meine Hände* vorgesungen, kann aber nur eine Strophe. Und der Mutter tat das gut, denn sie war gläubig, im Gegensatz zur Tochter. Ich riet ihr, auch per WhatsApp, im Heim nach einem Gesangbuch zu fragen. Aber das war nicht vorhanden, nur eine Bibel. Ich fotografierte die Seite mit den drei Strophen aus unserem Gesangbuch und sendete sie ihr.

Die Mutter hat sie plötzlich ganz fest umarmt, schrieb sie mir danach.

Sie schläft jetzt ganz ruhig, ist die letzte Nachricht der Tochter auf meinem Smartphone.

Aber sie lebt noch in ihrer Dämmerung, dachte ich.

Am Abend saßen wir im Garten, er und ich, nach vielen Besuchen zum ersten Mal zu zweit im Garten beim Abendbrot, und sahen in die untergehende Sonne. Der Himmel färbte sich vom Orangenen zum Violetten. Es war still und unglaublich sanft.

# Von allem genug

»Ich habe von allem genug«, das sollte ich in Zukunft denken. Das war der Rat unserer jungen Fastenleiterin. Für jede von uns hatte sie sich ein anderes Mantra ausgedacht.

Sie sagte es vor fünfzehn Jahren, am Ende der Fastenwoche, der ersten Fastenwoche in meinem Leben nach Vorschrift, in einer Gruppe, an der Ostsee. Ich war fünfundsechzig Jahre alt und hatte bis dahin manchmal gehungert und mir Diätbreis angerührt, bis ich Kopfschmerzen bekam.

Ich habe von allem genug? Diese Überzeugung hatte ich damals nicht. Ich hatte den vollständigen Briefwechsel von Anton Tschechow noch nicht gelesen, war noch nie in Spanien gewesen, auch auf keiner seiner Inseln, hatte noch keinen Roman geschrieben, ich hatte kein elegantes Bücherregal, das vor einem anderen hin und her rollen konnte, in dem ich meine dreifach hintereinander und hochkant gestapelten Bücher hätte ordnen können, mein Leben schien in Alternativen vor mir zu liegen. Bis dahin hatte ich mir immer zwei Paar gleiche Socken gekauft, um im Falle des Waschmaschinenverschlingens Ersatz zu haben, zwei gleiche T-Shirts, um die kurzen Ärmel des einen mit dem Stoff des anderen in lange Ärmel zu verändern, die ich im vorgerückten Alter wegen meiner Schrumpel-Ellenbogen ausschließlich tragen wollte, fünf Büchsen Kokosmilch, weil sie in dem Korb mit dem Hinweis lagen: Bevorraten Sie sich, das Produkt gehört nicht zu unserem Standard-Sortiment.

Und vor allem sollte ich nicht das Ziel verfolgen, auch nur ein einziges Kilo abzunehmen, sagte die Fastenleiterin: Sie ahnte nämlich, dass das mein Hauptziel war. Darum machte ich alles klaglos mit: Wir tanzten meditativ um einen Schleier, der um ein Blumengesteck mit brennender Kerze drapiert war. Die Kerze wurde täglich kürzer, das sollte etwas symbolisieren, wir machten Vertrauensübungen zu zweit, die nur gelangen, wenn man gleich viel Kraft wie die Partnerin in eine Kniebeuge investierte und sich dabei Rücken an Rücken einhakte. Die anderen kannten das schon, denn sie trafen sich jedes Jahr in der Woche vor Ostern hier. Mittags saßen wir alle an einem langen Tisch und löffelten die eigens für uns aus biologisch-dynamischem Anbau stammende Gemüsesuppe, unsere Füße badeten derweil in Schüsseln mit warmem Wasser mit aufgelöstem basischem Pulver. Die Fastenleiterin sagte, dass alles Saure aus uns heraus und alles Basische in uns hinein gehöre und dass das Wasser im besten Falle schwarz werden würde, wenn wir alles richtig machten. Jeden Morgen hatte jede von uns schon zwei Liter Mineralwasser von oben und zwei Liter warmes Wasser von unten in sich hineingefüllt und auch wieder herausgelassen. Die Fastenleiterin erzählte uns von Menschen, die auf diese Weise richtige Steine aus ihren Därmen verloren. Wenn wir nicht unsere Füße badeten, turnten oder sangen, gingen wir etwas spazieren. Dabei kam uns einmal eine kleine Gruppe süddeutsch sprechender Menschen am Ostseestrand entgegen. Mir fiel eine bleiche Frau auf, die gerade in dem Moment umsank, als ich mich nach ihr umdrehte. Sie war bei Bewusstsein, hatte weder Schmerzen noch Atemnot, ich riet der süddeutschen Gruppe, die Beine der auf dem Rücken liegenden Dame senkrecht nach oben zu stellen, und wählte 110 mit meinem Handy, was natürlich falsch war: Wenn ich in der DDR öfter das Ostfernsehen angestellt hätte, wäre mir das nicht passiert, denn da gab es ja die Serie *Polizeiruf 110*. Ich hatte noch nie in meinem Leben einen Rettungswagen gerufen, aber der Polizist am Telefon belehrte mich freundlich über die falsche Nummer und nahm mir nichts übel. Dann wählte ich 112 – und der Rettungswagen versprach, bald zu kommen. Inzwischen stellte sich eine süddeutsche Dame aus der kleinen Gruppe zu mir und erklärte, dass sie die Schwester der inzwischen nicht mehr Ohnmächtigen sei und dass diese sich alles selbst zuschreiben müsse, denn sie habe nicht auf sie gehört und wollte sich unbedingt ihrer Fastenwanderung anschließen, obwohl sie überhaupt keine Ahnung habe und nicht genügend trinke. Sie selbst allerdings sei viel fitter, das ganze Leben sei sie viel aktiver und informierter gewesen – diese jüngere phlegmatische Schwester wollte sich immer nur an sie heranhängen, – und nun liege die da und bremse die schöne Wanderung am Strand. Bis dahin wusste ich nur theoretisch und hatte es auch unterschrieben, dass man Fastenwochen nur in seelisch stabilem Zustand machen darf.

Die Woche verging schnell, am schönsten waren die Lebensgeschichten, die wir uns erzählten. Ich fuhr nach Hause mit einer Liste verbotener Lebens- und Genussmittel, Kaffee und Kartoffeln waren tabu, hochprozentige Sahne erlaubt. Und täglich drei Flaschen Mineralwasser einer bestimmten Sorte, auf jeden Fall aus Glasflaschen, nie, nie mehr aus Plasteflaschen. Ich ließ mich nicht wie die anderen fürs nächste Jahr vormerken.

Im darauffolgenden Jahr unterhielt ich mich mit einer Frau, mit der ich seit fünfzehn Jahren gelegentlich beruflich zu tun hatte, übers vergebliche Abnehmen. Mir gelang es nicht, weil ich zu dem Typ gehöre, der aus Gemütlichkeit isst, obwohl er keinen Hunger hat, und ihr gelang es nicht, weil sie sich im Dienst so viel ärgern musste, dass sie sich immer erst bei einem warmen gehaltvollen Abendbrot beruhigen konnte. Im Urlaub konnte sie auch nicht abnehmen, weil ihr schlanker Mann bei ihren gemeinsamen Bergwanderungen so gern einkehrte und dabei im Gegensatz zu ihr kein Gramm zunahm. Wir verabredeten uns zu einer gemeinsamen Fastenwoche im Binnenland von Schleswig-Holstein, sie für die Gruppe mit 0 Kalorien und ich für die mit 800. Es war lange nicht so streng wie die Woche an der östlichen Ostsee. Wir hörten jeden Tag einen Vortrag über verschiedene Salze und gingen mit unseren

Nordic-Walking-Stöcken durch den glitschigen hügeligen Buchenwald. Aber bald kam der nächste Vortrag. Am Nachmittag erhielten wir Heupackungen auf den Bauch aus Liebe zu unserer Leber, und morgens blieb Zeit für das Schwimmbad und eine Stunde Gymnastik auf der Matte. Auch hier kannten sich alle schon aus den Vorjahren und meldeten sich fürs nächste Jahr wieder an. Wir nicht.

Denn wir wollten mehr laufen. Und sie wollte mehr schwimmen. Und ich wollte einzig und allein an die Nordsee.

Seitdem haben wir vier Vor-Ostern-Fastenwochen an der Nordsee verbracht. Die äußeren Umstände waren ideal: Eine Dreizimmer-Ferienwohnung in der Nähe des Meeres, eine bekam das Kinderzimmer, die andere das Elternschlafzimmer, gemeinsames Bad, und im Wohnraum kochten wir in der Küchenzeile den Fastentee. Kein festes Essen – meinen Keks vom Friesentee gab sie dem Ober zurück: Wir fasten. Wir scheiterten an unseren inneren Umständen: Ich sehe keine Krimis außer *Adelheid* und *Donna Leon*, sie liebt *CSI*, das es wohl täglich gibt, wo die technischen Möglichkeiten des Mordens und der Aufklärung interessant sein sollen, zwischen den Morden gab es Werbung. Vor Ostern zeigten sie im Fernsehen außer technisch interessanten Morden auch Tanzwettbewerbe, in denen ein Tanzlehrer mit dicken Stars Tango tanzt und eine Jury dafür Punkte verteilt. Das war unser Abendprogramm, wenn wir erschöpft aus der Schwimmhalle kamen, denn vom Schwimmen hoffte sie abzunehmen, wenn sie täglich vier

Stunden nach siebzehn Uhr bei künstlichem Wellengang im angewärmten Nordseewasser schwamm. Ich ließ mich während dieser Zeit im flachen Becken auf einer Schaumstoffnudel treiben und vom Wasserdüsenstrahl massieren. Wir hatten unsere Toleranz überschätzt. Wir hatten gedacht, dass Respekt und Höflichkeit ausreichen. Wir lernten, dass das nicht reicht. Wir waren ja nicht in einer Gruppe, wir konnten nicht in Distanz gehen, ohne die andere infrage zu stellen. Sie war zwölf Jahre jünger, von der Arbeit geschafft, sie hasste Wind, Sonne und Sand und wollte darum nicht an die offene See, sondern an die windgeschützte Wattseite. Sie wollte zur Ruhe kommen und abnehmen. Für mich waren Wind, Sonne und Sand an der Nordsee der einzige Grund, überhaupt von meinem Arbeitstisch zu Hause aufzustehen und für ein paar Tage meinen Mann allein zu lassen, der nicht mehr reisen konnte. Ich war überzeugt, dass diese eine Woche nichts an meinem Gewicht ändern würde, solange ich aß, weil es zwölf Uhr mittags war.

Eine untote Landschaft ist das, sagte sie traurig, kein Baum weit und breit, meinen Mann würde ich nie hierher kriegen, wir lieben den Schwarzwald, ich gehe nur noch bis zum nächsten Dünenübergang, dann bring mich bitte zu einer Busstation, ich komme sonst zu spät zum Schwimmen.

Mein Lebensthema, dachte ich, ist die Geborgenheit. Hier an der Nordsee erfüllt sich meine Sehnsucht danach, Ebbe und Flut sind berechenbar, das finde ich so wunderbar. Man kann sich auf etwas verlassen, in seiner ganzen

Existenz verlassen. Trotz Sturm und stechendem Sand im Gesicht: Das Wasser kommt und geht. Und es ist gefährlich. Es ist mächtiger als ich. Manchmal drehe ich mich an der Brandung einmal um mich selbst, filme dabei eine Sequenz mit dem Handy und sehe es mir zu Hause an, als Trost bis zum nächsten Jahr.

Gestern habe ich unsere nächste Fastenwanderung abgesagt, telefonisch, von März bis September hatte ich mir dafür Mut angedacht. Dieses sechs Monate geplante Telefongespräch mit ihr hatte ich in Gedanken oft variiert, denn ich wollte sie nicht verletzen, wollte alle Schuld auf mich nehmen, es liegt nur an mir, an meiner Nordsee-Verrücktheit, wollte ich sagen, aber noch einmal kann ich es nicht aushalten.

Sie war damals vor einem halben Jahr einen Tag eher abgefahren, ganz plötzlich hatte sie demnach zu Hause noch etwas wichtiges Nebenberufliches zu tun, das war ihr am vorletzten Abend eingefallen, sie erschien mir wie verwandelt vor Glück, endlich nicht mehr an der offenen See im Gegenwind durch den nassen Sand stapfen zu müssen. Ich brachte sie am nächsten Tag zum Zug mit ihrem Rollkoffer, bei schönstem stürmischen sonnigen Nordseewetter. Nachdem sie eingestiegen war (endlich wieder ins normale Inland, muss sie gedacht haben) drehte sie sich zu mir um, legte ihre Arme auf meine Schultern: Nimm mir das nicht übel, ich wollte dir die Tage nicht verderben, bis zum nächsten Jahr, sagte sie.

Es stimmte: Ich hatte von allem genug.

## Betrachtungen

Wenn ich betrachte, dann muss es um mich herum still sein. Es muss auch in mir still sein. Denn ungehindert dringt das Gemälde, das Menschengesicht, das Gedicht in mich und sagt zu mir: Sieh mich an, höre mir zu, lass dich anrühren, lass dich erinnern an alles, was du schon weißt, was dich erschüttert hat.

Vergleiche mich, nimm mich an, schmecke mich.

Geh über die Brücke, die ich gerade für uns baue, bleib bei mir, interessiere dich bitte nur für mich, für kein anderes Bild, für kein anderes Menschengesicht, kein anderes Gedicht.

Die Friseurin betrachtete mich in unserem gemeinsamen Spiegel, unsere beiden Gesichter nebeneinander, und sagte: Lassen Sie Ihre grauen Haare grau. Sie sind doch eine alte weise Frau. Das passt zu Ihnen.

Wenn ich mich seitdem morgens, eigentlich nur für ein paar Sekunden, im Spiegel beim Kämmen zufällig im Spiegel erblicke, dann denke ich an dieses Einverstandensein.

Mich hat jemand betrachtet und war einverstanden mit mir.

## Der Duft meines Lebens

*Abgeschlossen*, dieses Wort schrieb jemand – ich sah meine Krankenakte im Traum deutlich vor mir – auf das Deckblatt. Es war eine Frau, ich sah sie nicht selbst, sondern nur ihre Hand, wie sie das Wort *Abgeschlossen* schrieb, mit Füllfedertinte auf dem Blatt.

Im Traum war ich damals darüber erleichtert und erstaunt:

Schon abgeschlossen?

Im Traum hatte ich eine Psychotherapie abgeschlossen. Ich musste nun nicht mehr hingehen.

Wollte dieser Traum mich warnen, beruhigen oder ermutigen?

Als ich noch überlegte, was mir dazu einfiel, merkte ich, dass ich mich an keine Traumgerüche erinnerte, ja, ich wusste nicht einmal, ob ich in all meinen lebhaften farbigen Träumen jemals einen Duft wahrgenommen hatte, so wie in meinem wachen Leben, in dem ich vom Geruch der Welt verführt, aber auch abgestoßen wurde.

Abgeschlossen.

Was war denn in Wirklichkeit in meinem Leben abgeschlossen, was hatte ein anderer Mensch, mit mir zufrieden, abgeschlossen?

Mir fiel meine Fahrlehrerin ein, aber das konnte es eigentlich nicht sein:

Siebenunddreißig Jahre jünger als ich, schweres Motorrad, zwei Kinder, die, allein in den Kurven, hundert fuhr, als sie mich nach der fünften Fahrstunde in ihrem großen Automatikauto geduldig durch die leeren Dörfer nach Haus rollen ließ – nur manchmal musste ich vor einem nach Gülle und Diesel riechenden überbreiten Ungetüm bis an den Straßengraben ausweichen.

Sie sagte, Sie brauchen keine Stunden mehr, hören Sie einfach auf Ihr Bauchgefühl. Das sagt Ihnen alles richtig.

Sie denken im Übermaß das, sagte sie, was ich den Fahranfängern mühsam beibringen möchte, nämlich, dass hinter der Kurve, hinter der Bergkuppe ein anderes Auto oder ein Reh entgegenkommen könnte. Denken Sie nicht über den hinter Ihnen fahrenden Busfahrer mit dem Behindertentransport nach, was er denken und von Ihnen erwarten könnte. Vielleicht freut er sich, dass er ein wenig langsamer fahren kann, vielleicht freut er sich über die Ausrede: Vorhin musste ich hinter einem Fahrschulauto schleichen. Was würden Sie denn von einem Kellner denken, der Ihnen nach der Bestellung von Vorspeise, Hauptgericht und Nachtisch sagt: Das schaffen Sie doch gar nicht! Oder: Das können Sie doch gar nicht bezahlen.

Sie hat recht, dachte ich: die Gefahr des Übergriffs, meine Hauptschwäche.

Nicht dorthin sehen, wo Sie nicht hin wollen, sondern dorthin, wo Sie hin wollen, in die Kurve sehen, nicht an den Rand. Man fährt dorthin, wo man hinsieht, also an den Baum.

Ihr Auge leitet Sie.

Aber eigentlich leitet mich meine Nase, antwortete ich ihr.

In den letzten Tagen war der Frühling im wahrsten Sinne des Wortes aus seinem Wintergefängnis ausgebrochen und hatte mich aus meinem gleich mitbefreit.

Das Regenwasser in dem alten Eichen-Weinfass an der Regenrinne draußen vor meinem Arbeitszimmer, direkt hinter dem Laptop, duftete nach dem Rotwein, der darin gelagert worden war.

Ich hatte über meine Riechwelt nachgedacht, unsere Besucher befragt, aus der Zeitung erzählenswerte Meldungen ausgeschnitten.

Und nun ermahnte mich der Traum: Nicht mehr über den Duft grübeln, sondern den Text über den Duft schreiben.

Je länger ich die Augen geschlossen hielt, umso mehr Abgeschlossenes, Absolviertes, mit Traurigkeit Beendetes fiel mir ein.

Inzwischen, sagte ich zu H., rieche ich ja Parfüm, wenn der Mensch dazu gar nicht zu sehen ist, nur weil da mal jemand ging mit einem sehr guten Parfüm.

Als ob es an dieser Stelle noch in der Luft steht. Und dann gehe ich einen Schritt zurück, noch einmal in diese Duftwolke.

Dich könnten sie wirklich als Drogenhund engagieren, erwiderte er.

Oder, sagte ich, wenn einer unserer Gäste im Freien geraucht hat und sich auf das Sofa im Wintergarten setzt und an mein Lieblingskissen anlehnt, rieche ich das noch nach vier Monaten und vier Tagen. Dieser kalte Rauch, wie ungeheizte Bahnwaggons.

Am liebsten hätte ich das Sofa mit Matratzen und Bezügen und Kissen in die Waschmaschine gesteckt. Lüften hilft nicht.

Das stört mich alles überhaupt nicht, sagte er dann immer, im Krieg war es viel schlimmer.

Hier im Dorf laufen die großen Hunde auf der Straße herum und kommen auch in die Gärten, wenn man das Tor offen lässt. Dann tritt man hin und wieder in etwas Weiches. Und wenn man Brot braucht und mit dem Auto zehn Kilometer zum nächsten Laden fährt, riecht es um das Gaspedal herum für mehrere Wochen.

Vor unserm Eingang liegt ein Findling. Dort hinterlassen alle Hunde ihre Marken. Im Winter, als ich die großen gelblichen Löcher im Schnee auf dem Findling sah, fasste ich mir ein Herz, kaufte Essigessenz und goss sie über den Stein.

Mich als Hund hätte das gestört. Aber man darf nicht von sich auf unsere Dorfhunde schließen: Mischungen aus Schäferhund und Labrador.

Manchmal werden von den drei Hundemüttern gegenüber 30 Hunde geboren.

Aufs Inserat kommen die schwarzen Mercedes-Limousinen bis aus Hamburg, um sich die Tiere abzuholen. Und zu uns zieht der wohlriechende Duft aus ihrem Auspuff.

Überhaupt diese Abgase der Viertakter: Bei meinem ersten Besuch im Westen spürte ich, die bis dahin nur den unangenehmen Geruch der Ost-Zweitakter kannte, dass ich diese Westabgase einatmen könnte, bis ich tot umfalle.

Versteht keiner – es ist eine Versuchung, die ich ungern zugebe.

Bei unseren Frühstücken damals las ich einmal in der Zeitung, dass ein Bankkunde in Vorpommern wegen seiner guten Nase einen Banküberfall verhinderte:

Es war nachts um drei, als er etwas Geld benötigte. Beim Eintippen seiner PIN bemerkte er Gasgeruch, sah ein Schweißgerät und rief die Polizei.

Der Einbrecher war erfolglos geflohen, denn wer rechnet als Geldautomaten-Aufschweißer schon mit einem störenden Bankkunden nachts um drei mit einer feinen Nase.

In der Zeitung stand dann noch etwas vom Schnupperpaddeln auf dem Dümmer See, das die Saison eröffnet, und vom Girls Day unter der Überschrift:

Ins echte Leben schnuppern.

Ein Arzt, der uns besuchte, erzählte auf meine Frage, sein langjähriges Parfüm werde nicht mehr hergestellt und er sähe sich nun nach einem Ersatz um. Im Internet entdeckte er einen Chatroom über Herrenparfüms, in denen die Diskutierenden feinste Nuancen ihrer Duftgenüsse beschrieben, zuerst so und im Abgang so, wie beim Wein. Das fand er nicht so verwirrend wie im Parfümladen, als er nach dem fünften Sprühstoß aufs Handgelenk nichts mehr auseinanderhalten konnte.

Ich erzählte daraufhin die Geschichte von der Geliebten des SED-Politbüromitglieds, zuständig für Agitation und Propaganda, der gerade mit einem Hubschrauber abgestürzt war, weil Gaddafi kurz vorm Abflug unvermutet mit ihm die Hubschrauber wechselte und so überlebte, und die mir in unserer Wohnung gegenübersaß, weil sie einen Hörspielmonolog sprechen sollte.

Diese Schauspielerin aber duftete fremdartig, sehr teuer, herb, ich dachte, das sei vielleicht ein Herrenparfüm, wollte ihr eigentlich etwas Freundliches sagen in ihrem Kummer und fragte, als sie ging, nach dem Duft.

Sie reagierte überraschend abweisend:

Wenn man ein Leben lang nach dem passenden Duft sucht und ihn gefunden hat, dann verrät man ihn unter keinen Umständen.

Und ging.

Heute umarmt mich manchmal eine Frau bei der Begrüßung und sagt: Du riechst gut, das passt zu dir. Und keine will wissen, was das ist.

## Das vierte Gebot

Leider kann ich das vierte Gebot nicht befolgen.

Das antwortete ich der kurzgeschorenen knabenhaften jungen Frau am langen Tisch gegenüber, Deckenbeleuchtung, außer ihr und mir niemand im großen Kirchgemeindesaal der Nordseeinsel.

Bei den übrigen neun Geboten schaffe ich es auch nicht immer, aber beim vierten Gebot ist es am schwersten, ergänzte ich.

Die junge Frau schwieg und sah mich an. Es war kurz nach einundzwanzig Uhr.

Sie ist jünger als mein Sohn, dachte ich, für sie bin ich eine alte Frau, sicher älter als ihre Mutter.

Wie kann ich Ihnen helfen?, fragte sie mich. Wir haben fünfundvierzig Minuten Zeit, dann muss ich in die Kirche, weil ich das Taizé-Gebet leiten werde.

Sie lächelte nicht ein bisschen.

Ich habe immer viel zu viel gelächelt bei einem solchen Beratungsgespräch, dachte ich, sie macht das professionell, wie im Training:

Zeitliche Begrenzung, aufmerksam, sachliche Distanz.

Das ist schließlich keine Therapie.

Und weil sie hier Kurpastorin ist, so stand es im Anschlag im Vorraum der Kirche, in die ich gleich nach der Fährüberfahrt, dem Ankommen in der Pension gegenüber der Inselkirche und dem Auspacken in meinem winzigen Zimmer, einer ausgebauten Dachgaube von sechs Quadratmetern, gegangen war, wird sie in dieser Gesprächsführung auch ausgebildet sein.

Sie wird irgendwo anders als Pastorin eine feste Stelle haben.

Als ich vorhin, wie immer bei Verabredungen zu früh, im Vorraum des unbeleuchteten Gemeindehauses gestanden hatte und sie dann pünktlich die Treppe heruntergekommen war, suchten wir gemeinsam den Schalter für diesen Gemeinderaum.

Wohl das erste Gespräch, das sie hier führt.

Sie erinnerte mich in ihrer Sprödigkeit und in ihrer Knabenhaftigkeit an eine langjährige enge Freundin meiner Mutter. Als diese Freundin gestorben war nach Depressionen und Leberkrankheit, bat uns meine Mutter, sie zur Beerdigung zu begleiten, sie zu stützen in ihrer Trauer.

Das haben wir gemacht, sie in unsere Mitte genommen und ihr den Kranz getragen.

Es ist das erste Mal, ich bin schon einundsiebzig, dass ich um ein solches Gespräch bitte, ich saß sonst immer auf der anderen Seite, sagte ich in die Stille.

Sind Sie auch Pastorin?, fragte mich die Pastorin.

Nein. Ich habe nur in der Psychotherapie gearbeitet. Und nun schreibe ich Geschichten.

Oft hilft mir das, Abstand zu bekommen, eine zweite mögliche Sicht zu finden, manchmal eine absurde Seite, das ist dann wie eine Erlösung. Aber jetzt kann ich nicht schreiben. Ich fühle mich zu sehr gedemütigt. Weit und breit kein Humor in meinem Kopf.

Was ist so schwer mit dem vierten Gebot? Was ist denn los mit Ihnen und Ihren Eltern, fragte sie mich da.

Jetzt habe ich nur noch vierzig Minuten, dachte ich.

Es geht nur um meine Mutter, denn mein Vater ist schon vor siebzig Jahren gestorben. Danach habe ich nie mehr einen Vater gehabt. Meine Mutter ist mein Problem. Ich bin ihr einziges Kind. Sie wird jetzt siebenundneunzig. Ich fürchte mich vor ihr. Ich habe sie vorgestern in ihrer neuen Wohnung besucht. Ich fühle mich von ihr verletzt, jedes Mal, wenn ich sie besuche, und ich habe schon vorher Angst vor diesen Verwundungen. Ich fühle mich bei ihr fremd und ungeliebt und gehe so wenig wie möglich zu ihr, aber auch am Telefon verletzt sie mich. Ich kann gar nicht begreifen, dass sie meine Mutter ist. Am liebsten würde ich mich für immer von ihr zurückziehen. Aber ich glaube, dass ich das nicht darf. Das vierte Gebot fordert von mir etwas anderes.

Sie ist allerdings liebesfähig, das habe ich bei ihrer Freundin gesehen, und das sehe ich auch jetzt bei ihrer Urenkelin, die sie wie ihre Wiedergeburt zu Lebzeiten behandelt.

Ich sollte meiner Mutter sogar den Brillantring, den sie

von ihrer Mutter geerbt und mir zum fünfzigsten Geburtstag geschenkt hatte, zurückgeben, damit sie ihn stattdessen dieser Urenkelin schenken kann. Auch den Siegelring meines Vaters, den sie mir zur Konfirmation geschenkt hat, sollte ich ihr jetzt zurückgeben, damit sie ihn ihrem Urenkel geben kann. Aber ich lebe doch noch, rief ich am Telefon, du bringst alle Generationen durcheinander. Mein Sohn lebt noch. Und dann kommen erst seine vier Kinder. Sie sagt, dass ich wohl Euthanasie bei ihr machen und sie wohl entmündigen lassen will. Sie häuft trotz ihrer vier Renten Schulden auf, und ich weiß nicht, wie ich die alle bezahlen kann. Dafür könnte ich doch eine Hypothek auf unser Haus aufnehmen, meint sie.

Sie hat mich oft mit Mutti angeredet, das war auch ihre Anrede für ihre verhasste Schwiegermutter, der ich so ähnele.

Das ist ja ein Spinnennetz, sagte die Pastorin, ich will mich nicht darin verfangen. Was ist denn mit Ihnen? Ich möchte nur darüber reden, wie es Ihnen geht.

Ich sagte ja, ich kann das vierte Gebot nicht befolgen.

Ich kann sie nicht lieben, so wie sie mich nicht lieben kann. Du sollst deinen Vater und deine Mutter lieben, auf dass es dir wohl gehe …:

Das ist doch das vierte Gebot.

Irrtum, sagte die Pastorin. Von Liebe ist in dem Gebot nicht die Rede. Sie brauchen sie nur zu ehren. Sie haben doch Ihren Auftrag erfüllt, denn: Wie viele Menschen kümmern sich täglich um Ihre Mutter?

Morgens und abends die Pflegerin, die Insulin spritzt, morgens außerdem die Betreuungsschwester, die Frühstück macht, auf das Klingeln kommt der Hausmeister, auf den Notruf am Handgelenk der Malteser-Hilfsdienst, mittags läutet die Hausglocke zum Essen, dorthin kommt sie mit Rollator und Fahrstuhl. Per Funk kann sie die Haustür öffnen, im Hof ist eine Parkanlage, und hinter der Toreinfahrt ist gleich der Gemüseladen, der Zeitungsladen und die Bäckerei.

Sie haben sich ganz umsonst bekümmert, sagte die Pastorin:

Liebe ist etwas Freiwilliges, ein Geschenk.

Sie lächelte mir aufmunternd zu, denn zwischendurch hatte ich sehr geweint.

Zum Taizé-Gebet kamen wir zur rechten Zeit.

Die Kirche war voller flackernder Kerzen, die Pastorin sprach auch hier ganz und gar unpathetisch.

Mir schien, als ob ich von etwas Schwerem endlich erlöst war.

Am letzten Abend besuchte ich einen Vortrag über Burnout. Die Referentin war Professorin für Religionspädagogik an einer großen süddeutschen Uni. Es war dieselbe Kurpastorin.

In der ersten Reihe sitzt mein Vater, sagte sie lächelnd. Er will sich zum ersten Mal einen Vortrag von mir anhören.

Mir nickte sie beim Hinausgehen kurz zu.

Wie einer Studentin.

# Der erste Tag im Jahr

Dieser letzte Ton im Rundfunkgerät, ein Piepton, etwas länger als die hastigen zuvor, wie am Sterbebett, am Display der Überwachung der lange waagerechte Strich.

Es ist null Uhr.

Das Jahr ist zu Ende.

Vor sieben Stunden hatten wir in der Kirche den Weihnachtsbaum noch einmal gesehen, die echten Kerzen in den beiden unteren Ebenen waren neu aufgesteckt.

Weihnachten sollte erst vor einer Woche gewesen sein?

Der Baum hatte am Heiligabend hinter dem Posaunisten an einem Zweig zu brennen angefangen:

Die Kerzen waren schon ziemlich niedergebrannt, als wir uns setzten, und der Trompeter, der meinen angstvollen Ausruf richtig deutete, drehte sich um und pustete.

Er pustete und fachte das Feuer damit an.

Dann schlug er auf den Zweig und löschte ihn.

Die Pastorin ließ sich in ihrer Predigt nicht stören und die Gemeinde auch nicht.

Sie sprach vom Kaputten in uns und wie es wieder heil werden könnte.

Mir liefen die Tränen aus den Augen, und ich dachte:

Typisch, alle Menschen um mich herum fühlen sich geborgen, nur ich nicht, alle freuen sich am Weihnachtsbaum, unten echte flackernde Kerzen und oben künstliche, nur ich sehe ihn schon vorher brennen, alle denken, der Zunächstsitzende am Feuer wird es schon löschen, wenn es brennt, und echte Kerzen in der Kirche am Weihnachtsbaum sind so heimelig, nur ich denke, gut, diese Kerze ist jetzt aus, aber wo brennt die nächste zu nah am nächsten Zweig.

Heiligabend vor einem Jahr hatte es an der gleichen Stelle am Baum gebrannt, und ich hatte am selben Platz gesessen.

Da hatte der Posaunist gelöscht.

Und vor drei Jahren war ich mitten in der Predigt nach vorn zu einem Kind gegangen, das den Engel spielte und eine Kerze auf einem Pappteller vor sich hertrug, der kokelte.

Ich streichelte den Engel, nahm ihm den Pappteller weg, warf ihn auf den Backsteinboden der Kirche und trat den glimmenden Teller aus.

Die Frau des Organisten sah mich in diesem Jahr am Heiligabend vom Chor aus nachdenklich an.

Beim Herausgehen aus der Kirche legte sie den Arm um meine Schulter und fragte, war das im vergangenen Jahr Heiligabend nicht an der gleichen Stelle, als Sie riefen:

Der Zweig hinter Ihnen brennt?

Sie erinnerte sich, und ich war nicht mehr allein.

Also wie gesagt:

Sieben Stunden vor dem letzten Rundfunk-Jahresend-Piepton hatten wir in der Kirche gesessen und den Weihnachtsbaum vom Heiligabend noch einmal gesehen:

Die echten Kerzen in den beiden unteren Ebenen waren neu aufgesteckt, der Posaunist saß nun in der Reihe hinter mir, nicht mit dem Rücken zum Baum, und sagte:

Heute haben wir ganz neue Kerzen aufgesteckt, da kann nichts passieren.

Inzwischen konnte man in der Zeitung lesen, dass in einem Weihnachtsgottesdienst in der Slowakei ein kleines Mädchen lebensgefährliche Verbrennungen erlitten hatte:

Denn die Kerze seiner Nachbarin hatte das Kleidchen aus Kunststoff entzündet.

Unsere Pastorin predigte von den Erwartungen an das neue Jahr, an uns selbst, die wir senken sollten, und betete mit uns, dass wir alles aus dem alten Jahr, alles Nichtgelungene, Traurige, alles Nachgetragene abschließen und vergeben sollten.

Und vergib uns unsere Schuld, wie auch wir vergeben unseren Schuldigern.

Weil mir die Kerzen bei der Silvesterpredigt sicherer erschienen, hörte ich zu ohne Angst, und ich ging auch in den Altarraum zum Abendmahl.

Wenn der Papst um zwölf Uhr den Segen urbi et orbi spendet, dann glaube ich nicht, dass mir nun alle Sünden vergeben sind, wie der Nachrichtensprecher aus dem Vatikan am Fernsehschirm verspricht.

Aber in dieser kleinen Dorfkirche denke ich, während ich auf der Oblate kaue:

Warum eigentlich nicht einmal im Jahr den Gedanken zulassen, alles Niederträchtige aus mir heraus in eine große Vergebung zu übertragen, auf eine externe Festplatte, man könnte darauf zugreifen, muss es aber nicht.

Ich kann existieren ohne diesen Ballast.

Wir haben dann noch alle Strophen von diesem Bonhoeffer-Lied ganz leise gesungen, keine einzige schrille Stimme war dabei:

Von guten Mächten wunderbar geborgen.

Dabei fiel mir auf, dass ich den Text in falscher Erinnerung hatte, nämlich:

Von guten Mächten wunderbar umgeben.

Warum nicht denken, von ihnen geborgen zu sein?

Wenn sie mich umgeben, sind sie ja viel zu weit weg.

Und »umgeben« reimt sich auch nicht auf »Morgen«.

Am Abend und am Morgen, und ganz gewiss an jedem neuen Tag.

Ja, in ein paar Sekunden war der neue Tag, das neue Jahr.

Wir waren vierzehn, die dem Rundfunkpiepen zuhörten, unsere zwölf Gäste kamen wie seit vielen Jahren um zweiundzwanzig Uhr, hatten schon Abendbrot gegessen und zu Hause auch *Dinner for One* im Fernsehen gesehen.

Wir hatten diesmal in der Galerie aus zwei Tischen eine lange Tafel mit dunkelgrüner Samtdecke und vielen Kerzenleuchtern und Räucherstäbchen bereitet. Die Gemälde an der Wand lebten im Kerzenflackern. Es war warm und zum Empfang sang Mahalia Jackson von ihrer Gospel-CD. Als sich alle gesetzt hatten, verteilte der Organist wie jedes Jahr den Mohn-Marzipan-Auflauf aus seiner schlesischen Kindheit, und alle zapften sich einen heißen Ingwertee-Apfel-Quitten-Punsch mit Nelken, Zimt und Orangenlikör-Kandis aus unseren großen Thermoskannen.

Ich hatte rechtzeitig zum Jahresende meine Sammlung von Miniflaschen seit DDR-Zeiten gefunden, noch original verschlossen und gefüllt mit allen möglichen Geistern, zum Beispiel von Aprikosen, mit Calvados, Kirschlikör oder Vanille-Rum, und auf die grüne Samttafel gestellt.

Das passte für die Nichtautofahrer in den Punsch.

Und der Theologiestudent pries meine Sammelleidenschaft – nie zuvor hatte er DDR-Kirschlikör gelöffelt.

Die Glocken des Kölner Doms läuteten um Mitternacht im Deutschlandfunk.

Wie immer wandte sich jeder von uns nach der kurzen Erstarrung seinem wichtigsten Menschen zu, niemals einem zufälligen, sah ihm in die Augen, schloss sie.

Und dann küsste er ihn, den wichtigsten Menschen weit und breit.

In diesem Jahr zündete niemand von uns auch nur eine Rakete. Früher hatte ich ein längeres Streichholz, das aber nicht puffen durfte, nur aufflammen.

Ich nahm mir nichts vor für dieses Jahr, keine Abnehmkilos, keinen Roman.

Einem der zwölf Gäste, der am 1. Januar Geburtstag hat, sollte ich wie jedes Jahr versprechen, darauf zu achten, dass sich niemand daran erinnert; aber nachdem wie immer zwei Minuten nach dem letzten Sektanstoßen vergangen waren, sagte der eine von den drei anwesenden Mathematikern zu ihm, ach, Sie hatten doch immer Geburtstag am 1. Januar, und dann stimmte er den Kanon an: Viel Glück und viel Segen auf all deinen Wegen, Gesundheit und Frohsinn sei auch mit dabei.

Und dann schmetterten wir alle diesen Kanon für ihn und stießen noch einmal mit ihm an, und irgendwie lächelte er ein bisschen an diesem Neujahrsmorgen:

Denn das war das erste Lied an diesem Abend und in dieser Nacht für ihn.

Wir anderen aber waren ja schon in der Übung mit unseren guten Mächten.

# Vom Aufstehen

Auf, auf, sprach der Fuchs zum Hasen, hörst du nicht die Hörner blasen?

So weckte mich meine Mutter früher, als ich ein Schulkind war. Sie stand an meinem Fußende und zog mir die Bettdecke weg.

Manchmal sang sie auch: Zwischen Berg und tiefem, tiefem Tal saßen einst zwei Hasen, fraßen ab das grüne, grüne Gras, fraßen ab das grüne Gras, und dann: Bis dass der Jäger, Jäger kam und schoss sie nieder. Ich stellte mir das bildlich vor und vergaß immer wieder, dass es gut endet: Als sie sich dann aufgerappelt hatten und sie sich besannen, dass sie noch am Leben, Leben waren, liefen sie von dannen. Ich lag dann mit meinem Nachthemd im Ungeheizten, war froh, dass die Hasen doch noch lebten, und stand schnell auf.

Wir frühstückten nicht zusammen; denn sie war schon fertig für ihren Weg zur Arbeit, hatte bis tief in die Nacht gelesen und wollte nur noch das abgezählte Geld von mir: für ihre S-Bahn-Fahrt zur Arbeit und zurück. Ich hatte meine Verstecke für diese vier Groschen. Zwanzig

Pfennige hin und zwanzig Pfennige zurück. Ostpfennige. Auch für die Pfandflasche, die ich nach der Schule einlösen konnte: für das Fahrgeld am nächsten Morgen.

Sie gab ihr Gehalt für Bücher aus; sie hatte im Krieg fast alles verloren. Nur die Handtasche mit einem Taschentuch und ich Fünfjährige waren ihr auf der Flucht geblieben.

Als ich nach dem Tod meiner Mutter ihre Wohnung mit über zehntausend Büchern zum ersten Mal allein betrat, um alles zu kündigen, aufzulösen, renovieren zu lassen, die Abstellkammer und der Keller waren bis zur Decke mit Kartons voller Papiere gefüllt, standen auf ihrem Sekretär noch die beiden Bronzeabgüsse von Ernst Barlach: die Lesende und der Flötenspieler, etwas kleiner als die Originale. Sie hatte sie in Raten jahrelang abbezahlt. Als niemand Ansprüche stellte, nahm ich sie zu mir, beide versunken in ihr Tun, in ihrer eigenen Welt, der Welt der Bücher und der Welt der Musik. Vielleicht wollte meine Mutter, dass ich sie so in Erinnerung behalte. Dass alles andere langsam verblasst.

\*\*\*

Es ist morgens. Gleich klingelt mein Wecker. Bald ist es schon heller um diese Zeit. Im dämmrigen Gegenlicht die kahlen Bäume.

Wenn ich ein Vogel wäre, müsste ich mir jetzt im Winter eine andere Zuflucht suchen.

Die weiche Bettdecke bis unter die Nase. Ganz gerade gestreckt.

Hier bin ich sicher.

Neben mir an der Wand das Bild: ein einsames Gehöft mit grünen und blauen Holztüren, ein hohler Baum, Raben in seiner Krone. Er, der es gemalt und mir geschenkt hat, liegt noch ruhig im Nachbarzimmer. Verlässt sich darauf, dass ich gleich komme und ihm helfe.

Fünfzig Jahre lang hat er für uns das Frühstück gemacht.

Ich schloss immer meine Augen nach dem Aufwachen. Atmete tief ein: In der Kuhle zwischen Zeigefinger und Mittelfinger der Duft nach Nelkenseife, das Lavendelsäckchen neben dem Kopfkissen, der Waschmittel-Duft in der Flanell-Bettwäsche und meinem Nachthemd. Aber das Kaffeearoma fehlte noch. Also konnte ich liegen bleiben und stattdessen vorsichtig, damit er mir nicht rückwärts ins Vergessen entglitt, ohne Ablenkung durch die Helle des Morgens, mit immer noch geschlossenen Augen einen Traumrest festhalten.

Als es dann ein paar Minuten später nach Kaffee und gerösteten Brot roch und er mich rief, blieb vom Traum oft nur noch ein Wort. Ich atmete aus und stand auf. Ich hörte seine Schritte dann näher kommen, ging ihm entgegen, breitete meine Arme aus, umarmte ihn und drückte meine Lippen an seinen Hals, über dem Schlüsselbein in der Wärme das Parfüm vom Geburtstag, Sandelholz, putzte mir die Zähne, Pfefferminz, im Bad Vanille und Kokosmilch, und ging zum gedeckten Frühstückstisch. Übereinander auf dem gerösteten heißen Schwarzbrot weiche Butter, Blauschimmelkäse und Feigenkonfitüre, ganz nah, bevor ich abbiss.

Einmal kündigte ich an, die Geschichte über den Duft zu Ende zu schreiben. Ihm sei das Sehen in seinem Leben eigentlich wichtiger als das Riechen, sagte er damals. Obwohl manchmal Gerüche durchaus unangenehm sein könnten, zum Beispiel, als sie in der Kriegsgefangenschaft, er war siebzehn Jahre alt, zu 120 Mann in einer Baracke lagen und nachts die nassen Fußlappen aus den Holzpantinen zum Trocknen ausbreiteten, sie sich nicht richtig waschen konnten und dann tausend Meter unter Tage im Kohle-Bergwerk schufteten. Aber man könne in solchen Lebenslagen nach innen weggehen.

Recht unangenehm, wenn er sich unbedingt an einen störenden Geruch erinnern sollte, seien ihm eigentlich die Rosenöl-Schwaden um die Frauen der russischen Offiziere gewesen. Auch im Urlaub in Bulgarien, immer diese Rosenöle.

Heutzutage könne er sich von allem Unangenehmen zurückziehen.

Wir Frauen im Osten, die sich damals schwarz kleideten, mit Pony und hennaroten Haaren, für etwas Besonderes hielten, ein wenig existenzialistisch, soweit wir Sartre im Buchladen ergattert hatten, rochen alle nach Madame Rochas. Es war das einzige französische Parfüm, das für Ostgeld in den teuren Läden zu haben war.

Abends habe ich damals für ihn und mich immer Earl

Grey aufgebrüht. Wegen des Bergamotte-Dufts. Der kam gleich nach den Viertakter-Abgasen der Westautos.

Fürs Abendbrot war ich zuständig.

\*\*\*

Ein paar Minuten habe ich noch.

Überall um mich herum liegen in Stapeln die Briefe an meine Mutter, die Durchschläge ihrer abgesandten Briefe, Zettel mit Adressen, Aktenordner mit Mahnungen und schließlich bezahlten Rechnungen, die Briefumschläge voller Fotos lange verstorbener und mir unbekannter Menschen, ihre Taschenkalender mit nur wenigen Eintragungen, und Postkarten, beschriebene, aber auch unbeschriebene.

In alle anderen Räume unserer Wohnung kann ich Besucher hineinlassen. Hierher nicht.

Einfach alles wegwerfen, jeden Tag einen Ordner, dann hast du es bald geschafft, du bist jetzt achtzig, wie lange willst du das alles aufheben, es interessiert doch niemand, wie viele Mahnungen deine Mutter bekam. So viel Lebenszeit hast du mit achtzig doch gar nicht mehr, mahnt er mich schon seit ihrem Tod.

Sie starb, als ich sechsundsiebzig war.

Sie wollte, dass ich über sie eine Geschichte schreibe. Hast du mit der Geschichte nun endlich angefangen, fragte sie mich, als sie schon über hundert war.

Aber wie sollte ich über sie schreiben, als sie noch lebte.

Meine Urenkelin liebt mich, hatte meine Mutter zur Krankenschwester gesagt, die ins Zimmer hereinkam, um meine Personalien aufzuschreiben, meine Urenkelin weiß, was ich will, auch wenn ich einmal nicht mehr sprechen kann, sagte meine Mutter zu der Schwester.

Aber die studiert doch ganz woanders, die ist doch viel jünger als ich, sagte die Schwester mit einem erschrockenen Blick zu mir. Darf ich denn Ihre Tochter überhaupt benachrichtigen, wenn Ihnen was passiert? Meine Mutter lächelte und schwieg.

Als die Schwester gegangen war, fuhr ich die vielen Stunden mit dem Zug nach Hause und suchte im Internet ein billiges Zimmer im nördlichsten Ort in Deutschland.

Was ist so schwer mit dem vierten Gebot? Was ist los mit Ihnen und Ihren Eltern?, fragte die Kurpastorin mich dort, eine knabenhafte junge Frau, am langen Tisch mir gegenüber, Deckenbeleuchtung, außer ihr und mir niemand im großen Kirchgemeindesaal der Nordseeinsel. Sie lächelte nicht ein bisschen.

Es geht nur um meine Mutter. Du sollst deinen Vater und deine Mutter lieben, auf dass es dir wohl gehe. Das ist doch das vierte Gebot.

Irrtum, sagte die Pastorin. Von Liebe ist im Gebot nicht die Rede. Gott verlangt von uns nicht, dass wir unsere Eltern lieben. Wir brauchen sie nur zu ehren. Sie haben sich ganz umsonst bekümmert, sagte sie. Sie können nicht gezwungen werden, Ihre Mutter zu lieben. Ihre Mutter kann aber auch nicht gezwungen werden, Sie zu lieben. Sehen Sie, Ihre Mutter hat sich doch erfolgreich eine Tochter gesucht. Suchen Sie sich doch eine Mutter. Falls Sie eine brauchen.

Sie lächelte mir aufmunternd zu, wie einer Studentin. In den nächsten Tagen wanderte ich allein am Wasser bei Windstärke sieben, viele Stunden am Tag. Bei dem Sturm konnten die Flugzeuge nicht landen, und auch die Fähre fiel aus.

Der 7. Januar 1940 war ein Sonntag. Du bist ein Sonntagskind, sagte meine Mutter zu mir, eigentlich immer etwas erstaunt, wenn mir etwas gelungen war. Du hast eben mal wieder Glück gehabt. Es war nicht mein Verdienst, wollte sie damit sagen.

Ich kam mittags um zwölf Uhr auf diese Welt. Meine Mutter war gerade fünfundzwanzig Jahre alt geworden. Sie hörte die Glocken der nahen Christuskirche in Kreuzberg läuten bei der Hausgeburt. Die Hebamme riet, mich Juliane zu nennen, weil die niederländische Königin so hieß.

Aber meine Mutter war enttäuscht, dass ich ein Mädchen geworden war. Noch bis zu meinem vierten Lebensjahr kaufte sie mir auf die Bekleidungsgutscheine Jungens-Hosenanzüge aus blauer gestrickter Wolle. Ihr Kind nach einer niederländischen Königin nennen: lachhaft.

Sie gab mir den Namen Helga. Nach dem Krieg kam dieser Name aus der Mode. Wenn eine Helga heißt, weiß man gleich, sie ist im Zweiten Weltkrieg oder davor geboren. Alle meine Vorgängerinnen und Nebenbuhlerinnen bei Männern und die Schriftstellerinnen meiner Generation hatten diesen Vornamen: Helga Königsdorf, Helga Novak, Helga Schütz. Vielleicht wollte meine Mutter mit dem Namen auch meinem Vater eine Freude machen: als deutscher Soldat im Krieg seit genau vier Monaten.

\*\*\*

Ich bleibe einfach noch in meinem Bett liegen.

Gleich werde ich ihn umarmen. Er wird sagen: Vorsicht, meine linke Hand. Den Sauerstoffschlauch werde ich etwas beiseiteschieben. Und mit geschlossenen Augen werde ich mich über ihm abstützen und dann mein Gesicht in seiner warmen Halsgrube vergraben.

Das alles hat meine Mutter nicht gehabt. Seit dem Tod meines Vaters, zwei Jahre nach meiner Geburt, gab es keinen Mann mehr, der bei uns wohnte. Auch der junge Niederländer nicht. Sein Vater hatte es ihm verboten: Dass sie eine deutsche Kriegerwitwe war und zehn Jahre älter als sein Sohn, das alles hätte er verstanden. Aber dass sie ihr kleines Kind weggeben wollte, schien dem Vater ein unheilvolles Zeichen.

Ich glaube, das war die Zeit, als sie mich wie von Sinnen mit dem Bügel schlug, weil ich meinen Mantel nicht an den Garderobenhaken im Treppenflur gehängt, sondern über den Stuhl im Wohnzimmer gelegt hatte. Ich bin dann in unser gemeinsames kleines Schlafzimmer auf dem Boden gegangen, habe mich vor mein Bettgestell gekniet und den lieben Gott um Verzeihung gebeten.

\*\*\*

Als ich ein Kind war, im Alter von sechs, begann es, dass meine Mutter mir abends am Bett ein Lied vorsang, immer dasselbe sehr beruhigende Lied. Drei Strophen sang sie.

Der Krieg war zu Ende, sie war seit fünf Jahren Witwe, zweiunddreißig Jahre alt, arbeitete in einer Gärtnerei während der Entnazifizierung, denn sie war ja auf Wunsch ihres Ehemannes in die NSDAP eingetreten, und war müde. Ich fand sie sehr schön, die schönste Mutter aus meiner Klasse.

Sie sang von meiner Müdigkeit, dass ich nun zur Ruhe gehen und dass mein Vater seine Augen über meinem Bett lassen solle. Ein bisschen dachte ich dann an meinen Vater, der tot war, zerrissen von einer Handgranate, Mittelstrecke gelaufen war. Mittelstrecken sind besonders schwer, sagte meine Großmutter immer so stolz, keine Kurzstrecken und keine Langstrecken. Zu anderen Gelegenheiten sang meine Mutter: Hab immer seine Nase nicht, doch habe nur sein Herz. Damit wollte sie ganz sicher ausdrücken, so verstand ich sie, dass ich ihr im Innersten fremd war, nichts von ihr habe, nichts von ihrer Familie, dass ich ganz und gar nach meinem Vater komme. Schade, dass er tot ist, er hätte dich verstanden, sagte sie.

Sein Herz war heiter, freundlich und voller Zärtlichkeit, keiner Fliege konnte er etwas zuleide tun, dein Vater, sagte meine Großmutter, die verhasste Schwiegermutter meiner Mutter, der ich auch so ähnelte. Vater also sollte abends beim Einschlafen seine Augen über meinem Bett lassen. Dann, in der zweiten Strophe, sollte ich über mein Unrecht nachdenken: Aber deine Gnad und Jesu Blut machen alle Sünden gut? Darüber sang sie ganz schnell hinweg, nicht wie in einem Wiegenlied, sondern aufmunternd.

Gruselig, dachte ich. Da gab es also vielleicht wirklich jemanden, der mir jede Sünde, die ich im Laufe des Tages begangen hatte, wiedergutmachen konnte? Zum Beispiel, dass ich die Eicheln für die hungernden Tiere im Tierpark, die ich in einem Holzkästchen gesammelt hatte, vergessen und darum nicht abgeliefert hatte.

In der dritten Strophe sollte ich an meine Verwandten denken. Die sollte Gott auch in seiner Hand halten, ziemlich große Hand, all diese Onkel und Tanten aus Hinterpommern, die meine Mutter und mich nicht geweckt hatten, als sie ihr Fluchtfuhrwerk packten, um Platz zu sparen für Betten, Wäsche und Geschirr. Und die gleich durchgefahren waren in den Westen, während meine Mutter mit mir allein mit einem nervösen Pferdchen und einer Sommerkutsche floh, dann im Osten blieb, erst in Greifswald, dann in Berlin, im östlichen Teil, zufällig. Diese egoistischen und treulosen Verwandten sollte Gott also auch in der Hand halten. Wir waren demnach mit denen in einer Hand.

Meine Mutter half mir mit diesem Lied zu einer fremden Wärme aus ihrer Kühle, ihrem Stolz und ihrer Unversöhnlichkeit, aus ihrer tagelangen, wochenlangen schweigenden Verletztheit, ihren Verwünschungen: Wärst du doch damals gestorben auf der Flucht.

✳✳✳

Ich habe noch zwei Minuten in dieser wohligen Wärme und in diesem Lavendelduft.

Nebenan ist noch alles ruhig, denn er verlässt sich darauf, dass ich pünktlich aufstehen werde. Er weiß, dass ich mich sehr erschrecke, wenn er dreimal mit der Faust an die Wand klopft und mich so um Hilfe bittet, dass ich dann aus dem Tiefschlaf noch im Dunkeln aufspringe, aus meinem Zimmer zu ihm laufe mit nackten Füßen, auf alles gefasst: dass er das Gleichgewicht verloren hat und nun nicht mehr allein hochkommt, dass er Schmerzen hat und die Schmerzmittel nicht ausreichen, dass die Wasserflasche aus Versehen das Bett ganz nass gemacht hat, dass eine Mutter mit ihrem Kind in der Küche steht, er sie durch den Türspalt sieht und ihre unverständliche Unterhaltung hört: Wie kommen die durch die verschlossene Haustür nachts um zwei Uhr? Auf dem Sofa sitzen so viele fremde Menschen. Die Männerchöre singen schon wieder die ganze Nacht: Tochter Zion.

Noch ein wenig liegen bleiben.

Ich möchte mich klein fühlen, am liebsten weggeweht werden über das große Meer hinaus. Es gibt Menschen, die sagen: Bis zum Horizont nur Wasser. In diesem großen Wasser ist man einfach verloren, sagen sie, man muss sich schützen und verschließen vor den Gefahren und vor dem Bösen in allen Menschen.

Er aber liebt den Fluss seiner Kindheit, den Bober: eine geborgene, eine übersichtliche Landschaft. Erst nach einer langen ruhigen Weile fließt der Bober in die Oder. Eine Wiese am Ufer, eine schmale Brücke, das gegenüberliegende Ufer ganz nah.

Schon mit siebzehn musste er als Soldat in den Krieg, das erzählt er immer wieder voll Traurigkeit, weg von dem Mädchen und für immer weg von seinem Fluss. Bald in einem anderen Land, mit anderem fremden Namen: Bobr. Ohne e.

Aber es blieb in ihm die Sehnsucht nach dem nahen gegenüberliegenden Ufer, dem ruhigen Wasser. Später das behäbige Segelboot auf dem Havelsee bei Berlin, noch später unsere Bootsfahrten durch die Kanäle, die Schleusen.

Jetzt schiebe ich ihn manchmal mit dem Rollstuhl aus unserem Dorfhaus bis zum Ende des Wiesenwegs an den kleinen See mit dem Schwingmoor in der Mitte, mit Trauerseeschwalben und Schwänen und Tauchern und Wildenten, über uns ein Milan. Es ist eine große Stille hier, eine Geborgenheit, wenn man die Nachrichten vergisst. Immer die Sehnsucht nach dem nahen anderen Ufer. Sein ganzes Leben lang.

✷✷✷

Es ist nichts so schlecht, dass es nicht auch zu etwas gut wäre, soll ich schon als kleines Kind zu meiner Mutter gesagt haben.

Zu ihrem Geburtstag im November 1946 hatte ich ihr eine Kette aus weißen Bohnen geschenkt, dafür von ihrer Mutter, meiner Oma aus dem Elsass, bei der wir nach der Flucht in Berlin Zuflucht gefunden hatten, ein paar Bohnen erbeten, heimlich eingeweicht und dann Bohne für Bohne durchstochen; sonst wären die Bohnen ja zu hart gewesen. Eine solche Kette hatten im Jahr 1946 alle aus meiner Klasse ihren Müttern geschenkt. Und die Mütter der anderen freuten sich, nahmen ihre Kinder in den Arm und gaben ihnen einen Kuss. So hatten es mir meine Freundinnen erzählt. Ich hockte also erwartungsvoll auf der Bettkante. Meine Mutter stand vor dem Spiegel.

Ich holte die Kette aus dem Versteck, schenkte sie ihr und sagte: Kuck mal, was ich für dich gemacht habe. Meine Mutter sah weiter in den Spiegel, um sich zum Ausgehen zu kämmen, als ich ihr vorschlug, die Weiße-Bohnen-Kette anzulegen. Sie wandte sich zu mir: Nein, so etwas trage ich nicht.

Ich bekam doch kein Taschengeld, um ihr etwas zu kaufen.

Meine Mutter lachte, vielleicht von der Armseligkeit angeekelt.

* * *

In acht Monaten an einem Septembermorgen wird er mich mit Spinnweben zwischen den Zweigen im Gegenlicht begrüßen, eigentlich freue ich mich schon vom klirrenden Neujahrstag an auf ihn: den Altweibersommer.

Die Reifezeit, das langsame Zurückziehen in die Wurzeln, in das Schneckenhaus. Das Ernten, die Mahd, das Dreschen, das Umgraben der Erde, das Düngen, das neue Säen: Das ist dann alles getan. Es ist genau wie beim Schreiben: Das Gespräch mit anderen Menschen hört auf für eine Zeit. Das Fragen, das Zuhören, auch das Lesen, was andere Menschen geschrieben haben, dann das Vergleichen mit dem Eigenen, das Grübeln, das Durchdenken, das Zweifeln, das Erinnern: an die Kindheit, an das eigene Leben, das Märchenlesen. Alles das hört auf für eine Weile. Dann kommt der immer weiter werdende Abstand zur Welt, nur noch zarte Spinnweben, leicht zerreißbar, verbinden die Schreibende auch mit den Menschen, die sie nun halten sollen an diesem kaum sichtbaren Faden.

Ist es nicht anmaßend, sich so ernst zu nehmen? Woher kommt die Überzeugung, gerade diese Begebenheit könnte auch nur einen einzigen Leser, eine einzige Leserin aufhorchen lassen? Woher kommt die Kraft, um die Aufmerksamkeit dieser anderen Menschen zu bitten, ihre Zeit und ihr Interesse zu beanspruchen?

Wissen sie nicht alles, sind sie nicht schon erwachsen, lebenserfahrener, sind sie nicht raffinierter im Geschmack, werden sie sich nicht langweilen, werden sie nicht spotten, heimlich oder ganz offen, werden sie die Geschichtenschreiberin nicht einfach verscheuchen?

Etwas erzählen, was nur ich weiß. Und wenn es jemand liest, weiß es noch jemand. Für die wenigen Minuten, in denen er die Geschichte liest, in der unendlichen, eisigen Welt.

Gleich werde ich mich aufrichten, auf meine Bettkante setzen, in die Hausschuhe schlüpfen, meine Bettdecke zusammenrollen und hinter die Rückenlehne meines Klappbetts legen, die rotgemusterte Wolldecke darüberlegen und bis hundert zählen.

Die Jalousien hochziehen, die Vorhänge beiseiteschieben, das Sauerstoffgerät ausschalten und wegrollen, damit es dem Rollstuhl nicht im Wege steht, Kaffeewasser aufsetzen, die Haustür aufschließen und die Außenbeleuchtung ausschalten, die Zeitung aus dem Briefkasten nehmen, Brot in den Toaster, das Tablett mit dem Frühstücksgeschirr in den Wintergarten bringen, mich waschen und anziehen, für die Schwester, die kommen wird, seine frische Kleidung gestapelt in den Rollstuhl legen, die Medikamente, die acht Tabletten vor dem Frühstück, zusammen mit einem Glas Ginger Ale neben seinen Frühstücksteller legen. Und dann zu ihm gehen.

*\*\**

In diesen Stapeln um mich herum ist das Leben meiner Mutter geronnen. Sie kann nicht mehr darüber bestimmen. Aber ich kann die bunten orientalischen bestickten seidenen Hochzeitstücher darüberbreiten, die ich auf dem Flohmarkt am Berliner Preußenpark gekauft habe. Und wenn ich ein Tuch hochhebe, werde ich vielleicht zufällig diesen Liebesbrief lesen, den meine Mutter an eine chinesische Frau schrieb, nicht absandte, dann wieder neu versuchte.

Ihr Leben von über hundert Jahren wird unter diesen Hochzeitstüchern liegen wie in kostbaren farbigen Meereswellen. Es ist meine Schatzkammer. Ich muss nicht ertrinken in diesem Meer. Es kann auch alles darin versinken, es liegt nun an mir.

*\*\**

Wir wollen doch noch ein bisschen leben, sagte meine Mutter zu mir, als sie mit hunderteins auf der Intensivstation lag, den weichen Sauerstoffschlauch im Nasenloch, die Infusion mit Elektrolyten im Arm, nach der Morphiumspritze gegen die Atemnot, das Fenster geöffnet, draußen war es kalt im Februar, aber in einem Mauervorsprung tschilpte ein Spatz in der Sonne.

Ich saß mit dem linken Ellbogen aufgestützt an ihrem Intensivbett. Sie drückte meine Hand zweieinhalb Stunden fest. Und sprach ununterbrochen, vieles verstand ich nicht, so leise und monoton: Ich habe drei Heldentaten vollbracht, die dich betrafen. Erstens: Ich habe dich nicht abgetrieben, obwohl dein Vater das wollte. Und für mich kamst du eigentlich auch unerwünscht. Wir haben deinetwegen im fünften Monat geheiratet. Zweitens: Ich habe dich bei der Flucht aus Hinterpommern bis zur Erschöpfung in einem dreirädrigen Kinderwagen im Treck bis Greifswald geschoben, und drittens: Ich habe dich nicht vergiftet oder erschossen, als die Russen in Greifswald einmarschierten. Dein Großvater verlangte nämlich von mir, dass ich mich vergifte oder erschieße. Gift und Pistole legte er vor mich auf den Tisch. Greifswald sollte als erste Stadt an die Russen kampflos übergeben werden, was Hitler ja verboten hatte. Du hast neben mir gesessen und warst fünf Jahre alt, gerade wieder auf den Beinen nach der Flucht, nach Typhus und Mittelohrvereiterung. Dann muss ich ja mein Kind vorher töten, habe ich zu ihm gesagt, das kann ich nicht. Da habe ich dich am Leben gelassen. Du warst eben dein ganzes Leben ein Sonntagskind, sagte meine Mutter zu mir, sechs Tage vor ihrem Tod.

Draußen vor dem Zimmer der Intensivstation in der Evangelischen Klinik saß eine Amsel in einem kahlen Baum. Ich sagte zu meiner Mutter: Ich verdanke dir, dass ich lebe, es ist alles gut.

Heute, vier Jahre später, würde ich noch etwas hinzufügen: Ich danke dir, dass du mir von klein an so viel von 1933 erzählt hast, wie alles kippte, von euerm Geschichtslehrer, der im Unterricht plötzlich sein Jackett auszog, und darunter war das Braunhemd, von euerm Erschrecken, weil deine Freundin doch eine Jüdin war. Ich danke dir, dass du dich so schämtest, weil du eure Lehrerin nicht mehr besuchtest nach ihrer Entlassung, und dann wohnte sie nicht mehr am Bahnhof Grunewald. Ich danke dir, dass du abends mit mir, als ich ein Kind war, im russisch besetzten Sektor Berlins den RIAS hörtest, den Rundfunk im amerikanischen Sektor, und mir alles erklärtest: Im Westen sagen sie es so, und hier im Osten in der Zeitung und in eurer Schule sagen sie das Gegenteil, und es ist zum Teil gelogen. Dass ich zu meiner anderen Großmutter durfte, in allen Schulferien, trotz deines Hasses auf sie, dass du einmal nach dem Krieg, ich war sieben, mir einen Roller mit Holzrädern kauftest, spontan, es gab keinen besonderen Anlass.

Dieser kleine Roller stand vor dem Schaufenster eines Spielwarengeschäftes, und ich war nur kurz stehen geblieben, um ihn sehnsüchtig anzusehen. Wir waren schon weitergegangen, ich hatte um nichts gebeten, da nahmst du plötzlich aus deiner Geldbörse einen Schein und sagtest: Hier, kauf ihn dir.

An ihrem hundertsten und auch an ihrem hundertersten Geburtstag, immer im November, hatte sie in dieses Café im Erdgeschoss ihre Mitbewohner und die Pflegeschwestern eingeladen. Jedes Mal kam auch der Pfarrer, der sie einmal beerdigen sollte. Wir mussten auf den Wunsch meiner Mutter im November das Paul-Gerhardt-Lied singen: Geh aus mein Herz und suche Freud in dieser schönen Sommerzeit. Das sollten wir auch zu ihrer Beerdigung singen, bestimmte sie.

Und wenn Sie aber nun im Winter sterben, hatte der Pfarrer sie gefragt, wenn vielleicht gar kein Sommer ist?

Dann müssen Sie es umdichten.

Sie starb im Februar. Geh aus mein Herz und suche Freud in dieser schönen Jahreszeit, stand auf unseren Liedzetteln in der Kirche. Der Pfarrer hatte ihr den Wunsch erfüllt. Aber nur mit der ersten Zeile. Denn Tulipan und Salomonis Seide waren ihm einfach zu schön zum Umdichten.

\*\*\*

Der Wecker klingelt. Ich bin doch wieder eingeschlafen. Nun stehe ich aber auf, gehe im dunklen Zimmer an seinem Bett vorbei, ziehe die Jalousien hoch, auf dem Fensterbrett der Pergamentstern an einem fast unsichtbaren silbrigen Faden, von der Palliativärztin bei ihrem ersten Besuch geschenkt. Den weißen, kunstvoll ausgeschnittenen Pergamentstern von dieser Frau, die so viel Endliches trösten und ertragen muss, habe ich in der Orchidee gelassen, dort, wohin sie ihn gehängt hatte, zwischen dunkelvioletten Blüten eine Hoffnung.

Ich drehe mich vom Fenster um, er breitet die Arme zu mir aus.

Alles gut.

# Inhalt